海外漢文古醫籍精選叢書・第三輯

2011—2020年國家古籍整理出版規劃項目
2018年度國家古籍整理出版專項經費資助項目
中國中醫科學院「十三五」第一批重點領域科研項目
——我國與「一帶一路」九國醫藥交流史研究（ZZ10—011—1）

蕭永芝◎主編

本草彙考

〔日〕曾槃 輯
〔日〕越通永 校

神農本經臆斷

〔日〕太田澄元 撰

22

北京科學技術出版社

圖書在版編目（CIP）數據

本草彙考；神農本經臆斷/蕭永芝主編. —北京：北京科學技術出版社，2019.1
（海外漢文古醫籍精選叢書. 第三輯）
ISBN 978－7－5714－0004－0

Ⅰ. ①本… Ⅱ. ①蕭… Ⅲ. ①本草—研究—日本 Ⅳ. ①R281.3

中國版本圖書館 CIP 數據核字（2018）第295435號

海外漢文古醫籍精選叢書・第三輯・本草彙考　神農本經臆斷

主　　編：蕭永芝
策劃編輯：李兆弟　侍　偉
責任編輯：吕　艷　周　珊
責任印製：李　茗
出 版 人：曾慶宇
出版發行：北京科學技術出版社
社　　址：北京西直門南大街16號
郵政編碼：100035
電話傳真：0086-10-66135495（總編室）
0086-10-66113227（發行部）　0086-10-66161952（發行部傳真）
電子信箱：bjkj@bjkjpress.com
網　　址：www.bkydw.cn
經　　銷：新華書店
印　　刷：北京虎彩文化傳播有限公司
開　　本：787mm×1092mm　1/16
字　　數：360千字
印　　張：30
版　　次：2019年1月第1版
印　　次：2019年1月第1次印刷
ISBN 978－7－5714－0004－0/R・2561

定　　價：**800.00元**

海外漢文古醫籍精選叢書·第三輯

本草彙考

〔日〕曾槃　輯
〔日〕越通永　校

内容提要

《本草彙考》是日本江户時代（一六〇三—一八六七）的本草學著作，由著名本草學家曾槃纂輯，具體成書年代不詳。此書從文獻考據的角度對二百餘種藥物進行了詳盡的考證。全書廣徵博引，内容豐富，言之有據，詳略得當，具有很高的文獻研究價值，爲後人瞭解日本江户時代本草學的發展提供了一個獨特的視角。

一 作者與成書

《本草彙考》全書分爲二卷，每卷之首皆題署「曾槃士考輯／越通永季錫校」，書中按語亦多有「槃按」標識，據此可知本書撰者爲曾槃（士考）。

曾槃（一七五八—一八三四），字士考，幼名恒藏，後改爲松宇，槃爲其名，又名昌啓、象山、昌迺、永年，號占春，爲日本江户時代後期醫家、本草家、博物學家。曾槃先祖爲明朝人，其父周政以醫官之職仕於莊内藩（今屬日本山形縣）藩主。曾槃出生於江户（今日本東京），隨田村藍水修習本草，又從多紀藍溪研習醫學。十七歲繼承父業，亦爲莊内藩侍醫，二十年後辭去該職。天明五年（一七八五），曾槃年僅二十七歲即開始在江户醫學館的前身躋壽館講授本草，名聲日顯。其門人有阪本純庵、高木春山、井上良雄、河名文系等。

天明八年（一七八八），中國蘇州藥商吕宏昭到達長崎，曾槃針對藥品産地的問題向他提出了七十餘條疑問，後根據吕氏的回答編成《吕宏昭藥品答》一卷。可見，曾槃是當時跟清朝人員往來較多的日本人。寬政四年（一七九二），曾槃受聘於薩摩藩（今屬日本鹿兒島縣）藩主島津重豪，奉命前往薩摩藩種植人參；寬政十一年（一七九九），奉瀏江長伯幕府之命前往蝦夷（今屬日本北海道），對所采集的草木科植物臘葉進行考證。這些經歷使曾槃積纍了豐富的觀察、種植、辨識植物的知識和經驗，爲其後編撰各類本草著作奠定了良好的基礎。

曾槃一生著述等身，且以本草著作爲多，主要有《本草彙考》《本草綱目纂疏》《藥性討源》《神農本經講義》《古本草集覽》《救荒本草和訓燈》《藥性識略》《成形圖説》《周定王救荒本草和名選》《人參識》《藥品和名集》《藥物俗名集》《藥品异名集》《辨本草之道》《救荒本草和名》《皇和藥品出産志》《國史外品動植考》《國史草木昆蟲考》《西洋草木韵箋》《蝦夷草木志科》《占春魚品》《水草識略》《禽識》《曾占春遺稿》《金薯傳習録》《皇和蕈譜》《橘黄閑記》《無人島談話》《吕宏昭藥品答》《隨觀筆乘》《渚丹敷》等。

《本草彙考》成書年代不詳，據作者生平判斷，大致成書於日本江户時代後期。「彙」有聚合、聚集之意，「考」指考證、考校。本書名爲《本草彙考》，表明作者欲彙集衆多本草論述，摭取諸家精華聚於此書，以便深入考證，溯本清源。

二 主要内容

《本草彙考》分爲上、下兩卷，下卷後又有附録藥物。兩卷之首均可見分目，雖未再具體分部，但藥物的整體排列基本參照了明・李時珍的《本草綱目》，按水部、土部、金石部、草部、穀部、菜部、果部、木部、服器部、蟲部、鱗部、介部、禽部、獸部的順序編排。卷前目録中多數是以藥名爲題的，但也有部分不用藥名而以事項命題，如「收魚名稱」「熊膽烘乾法」「人參鑒定」「人參收藏」等。筆者今以目録爲准，從中統計得藥物二百多種，共計二百一十五條。曾槃對其中每一條都進行了詳細的考證和闡發。

上卷（一百零八條），含：梅雨、甘露、雹、神水、上池水、節氣水、温泉、陰陽湯、齏水、柴薪火、太陽土、彈丸、伏龍肝、紫金、礦、錢、玉名、琅玕珊瑚、玻璃、水精、琉璃、菩薩石、蠟石、滑石、鐵豌豆、石炭、磁石、空青、甘草、黄精葳蕤、椵樹、三七、秦艽、柴胡、獨活羌活、細辛杜衡、蘼蕪、蛇床、芍藥、牡丹、杜若、縮砂密（蜜）、豆蔻、肉豆蔻、薄荷、積雪草、連錢草、藿香、蘇、水蘇、蓍、艾、蘩、蒿類、番紅花、燕脂、苘麻、大青小青、蠡實、天名精、蘆、麥門冬、萱草、葵、瞿麥、葶藶、連翹、藍、蔄茹、附子、射罔、射干、芫花、莽草、鈎吻、墻蘼（附墻蘼露）、王瓜、黄環、防已、羊桃、千歲蘽、溪蓀、水萍、蘋、蒓、水藻、石帆、五穀、九穀八穀百穀、薏苡、阿芙蓉、豆、神麯、醋、屠蘇酒、逡巡酒、醴、白酒、藍尾酒、五辛菜、菘、堇、懷香、苜蓿、苦菜、甘薯、犀、菌。

下卷（七十七條），載：梅、棠梨、海紅、香海棠、庵羅果、林檎、柿、君遷、橘、櫟槲橡、荔枝、龍眼、餘甘、茶、瓜、西瓜、沙糖、石蓮子、桂、木蘭、沉香、鷄舌香、龍腦、厚朴、梓楸、桐、槃迷、楊柳柳花柳絮、柯樹、烏臼木、枳、女貞冬青、臘梅、靈壽木、茯苓茯神、竹茹、褌襠、鍾馗紙、扇、蠮螉、蠮螉窠、鼅鼄、草蟲阜螽、蟋蟀、蟾蜍、蟾酥、鱮魚、青魚、膾殘魚、比目、收魚名稱、敗龜板、鸁蚌蛤、螺鈿、真珠、鰒決明鮑、文蛤、石蜐、郎君子、鶴、鶴肉、雁、鷺鳧、燕、杜鵑、鴆、豕、馬、底野迦、獅子、熊膽、熊膽烘乾法、麝香、獺肝、木乃伊。

下卷附録(三十條),録:甘露蜜、驗水、蚯蚓泥、黄銀、比輪錢、神砂、火珠、瑪瑙、浮石、人參鑒定、人參收藏、菁茅、木香、牧靡草、坯子燕脂、鶴虱、鷄塒、辛夷、乳香、唐棣棠棣棣棠、南燭、木綿、竹實、蟬、蜚、龍涎、龍骨、蜃、鱖、鷓鴣。

曾槃針對每一種藥物,先列出其名稱,然後徵引衆多文獻論述,進行詳盡的考證。書中闡發的内容主要有:藥物名稱相關問題,如正名、异名及其出處,解釋名稱含義,從藥物名稱角度考證藥物來源及名實;本草學基本知識,如藥物形態、産地、采收、貯藏、鑒别、炮製、性味、功效主治等;與藥物學相關的知識,如古代傳説、趣聞軼事、商貿交流等;辨析正誤,即作者辨識藥物的相關知識、引用諸家觀點,闡發個人見解等。

三　特色與價值

《本草彙考》一書雖爲本草類著作,但作者在考證藥物時旁徵博引,參考了衆多醫藥和非醫藥文獻,内容詳盡而豐富;在實際考證過程中,方法靈活多樣,務求嚴謹詳實;對文獻材料的駕馭能力很强，重點突出，層次分明，卓有見地；重視對《本草綱目》的深入研究，并糾其舛訛，補其缺漏。

（一）徵引廣博，内容豐富

《本草彙考》廣徵博引，内容豐富，徵引文獻時間跨度較大，有直接引用和間接引用，涉及醫學和非醫學類著作四百餘種。

所引醫學類文獻八十餘種，其中又以本草著作爲多，主要有《神農本草經》，魏·吴普《吴普本草》，晋·嵇含《南方草木狀》，梁·陶弘景《本草經集注》，唐·韓保昇等《蜀本草》、宋·掌禹錫等《嘉祐補注神農本草》、唐慎微《證類本草》，元·王好古《湯液本草》、忽思慧《飲膳正要》，明·朱橚《救荒本草》、陳嘉謨《本草蒙筌》、李時珍《本草綱目》、清·顧元交《本草彙箋》、劉若金《本草述》等四十餘種。其他醫學文獻，諸如醫經、基礎理論、傷寒金匱、臨證各科、養生、醫史及綜合性著作等，均廣泛涉獵。

非醫學類文獻近三百種，舉凡諸經史志、九流百家、稗官野史、詩詞曲賦著作中涉及本草者，皆無不兼收并蓄。例如，春秋及之前的《詩經》《春秋》、范蠡《范子計然》、左丘明《左傳》，戰國《戰國策》，漢《爾雅》《山海經》、班固《漢書》、劉熙《釋名》、司馬遷《史記》、許慎《説文解字》，三國·陸璣《毛詩草木鳥獸蟲魚疏》、張揖《廣雅》，晋·崔豹《古今注》、葛洪《抱朴子》，南北朝·賈思勰《齊民要術》、酈道元《水經注》、宗懔《荆楚歲時記》，隋·佚名氏《西河舊事》，唐·顔師古《匡謬正俗》、段成式《酉陽雜俎》、釋慧琳《一切經音義》，五代·陳致雍《海物异名志》、胡嶠《陷虜記》，宋·陳彭年等《廣韵》、陳元靚《事林廣記》、李昉等《太平廣記》《太平御覽》、鄭樵《通志》，元·方回《瀛奎律髓》、李冶《敬齋古今黈》，明·范泓《典籍便覽》、方以智《通雅》《物理小識》、楊慎《升庵集》、張自烈《正字通》，清·高士奇《江村銷夏録》、顧炎武《日知録》、屈大均《廣東新語》、王士禛《香祖筆記》、游藝《天經或問》。除文字資料外，亦引録過唐·閻立本《西旅貢獅子圖》、宋·宋徽宗《西瓜圖》、清·趙之謙《异魚圖》等畫作的内容。

書中援引了較多的詩詞歌賦，除《詩經》諸篇外，還有唐·李白、杜甫、白居易、柳宗元等，宋·黄庭堅、吕願中、蘇軾等人的詩詞作品，戰國·宋玉《諷賦》，漢·司馬相如《上林賦》，三國·嵇康《琴賦》，晉·潘岳《閑居賦》，南北朝·江淹《石蜐賦》，宋·洪舜俞《老圃賦》等名家之賦。對詩詞曲賦的徵引豐富而全面，有時甚至收録整首詩歌。如卷上温泉條，引宋·吕願中《半湯泉》：「郡境水多沸，陳村泉類湯。人情尚冰炭，地脉亦炎凉。」

所引日本古籍文獻，如深江輔仁《和名本草》、清原夏野等《令義解》、源順《和名類聚鈔》、大槻玄澤《六物新志》、大技流芳《清灣茶話》、稻生若水《結髦居别集》《庶物類纂》、上田秋成《清風瑣言》、原瑜《温泉小言》、多紀元簡《醫賸》《櫟蔭摭醫録》等。除此之外，還援引了井田昌胖、松岡成甫、嚴玄浩、多紀藍溪等人的觀點。

書中有些文獻係間接轉引，其中可見宋·洪芻《香譜》引《西域記》，宋·李昉等《太平廣記》引《集略記》，《太平御覽》引《本草經》《魏略》《吴普本草》《春秋繁露》，明·馮應京《月令廣義》引《古雋略》，明·李時珍《本草綱目》引《瑞草經》《异物志》及蘇頌、蘇恭（敬）、寇宗奭等人的觀點，明·劉侗《帝京景物略》載泰西熊三拔觀點，明·毛晋《毛詩陸疏廣要》引吴禄《地理志》，明·田藝衡《留青日札》引

《傳巽七誨》，明・王路《花史左編》引《格物論》，明・王世貞《彙苑》引《夢書》，日本丹波元簡《醫賸》載明・蔣一葵《長安客話》，源順《和名類聚鈔》引《崔氏食經》《四聲字苑》等。

本書還引用了一些外國人的著作。如，比利時南懷仁《西方略記》、朝鮮許浚《東醫寶鑑》及佚名氏《人參贊》、印度《大智度論》等，尤其引用了諸多荷蘭醫藥學文獻。例如，卷上莽草條，「荷蘭藥書載八角蘹香」；卷上墻蘼條，「又嘗有蘭人所傳薔薇露」；卷下底野迦條，提及荷蘭醫學書籍中詳細記載的底野迦製作方法、主治功效及服用方法，藥品名稱多爲音譯而來，或選用中藥進行替代，其中提及的「阿片」即鴉片；卷下木乃伊條，引「蘭書」所載內容糾正既往文獻的荒誕之言，補本草之不足等。由此可知，日本本草學者對荷蘭醫藥學的接受與認可，亦可見荷蘭醫藥學對日本本草學的影響。

《本草彙考》一書因參引文獻衆多，難免出處有誤或不實，內容有不明、不詳、不全等缺陷。如卷上神水條載「鐘伯敬《遵生八箋》」，該書作者實爲明・高濂；卷上紫金條言「古云半兩錢即紫金。今人用赤銅和黃金爲之，然世人未嘗見真紫金也」，實出自明・曹昭《格古要論・珍寶論・紫金》，而非明・高濂《古玩品》；卷上甘草條引用《詩經・邶風・簡兮》，却寫成出自《詩經・衛風・簡兮》等。這些引用錯訛之處，或爲作者曾槃錯引，亦或爲抄寫者謄抄有誤。卷下附録黃銀條，引「方勺曰：黃銀出蜀中，與金無异，但上石則白色」，方勺《泊宅編》中原文爲：「黃銀出蜀中，南人罕識……其色重，與上金無异，上石則正白。」而《本草綱目》卷八附録黃銀條載：「時珍曰：按方勺《泊宅編》云：黃銀出蜀中，色與金無异，但上石則白色。」可以推知，曾槃所引文獻，可能有據《本草綱目》或其他著作轉引的內容，而非作者本人真正閱讀過相關原書。另如卷上礦條，「《箋》云：胎銅，謂銅璞也」，《箋》指明・

朱謀瑋《水經注箋》。或有藥物無須詳細考證，因某書或某條已具詳論。如卷上肉豆蔻條，「詳見《六物新志》」；卷上番紅花條，「詳出《六物新志》」；卷上蘹香條，「按八角蘹香即鼠莽子，詳録莽草款下」。或所引文獻有省略簡寫。如卷上藍尾酒條，「少蘊所謂酒匝未」，實則從宋人葉夢得（少蘊）《石林燕語》「謂酒巡匝，末坐者連飲三杯，爲藍尾」化裁而來。

（二）考證文獻，方法多樣

曾槃條分縷析，運用諸多文獻學的方法，詳細考證，述其正誤；或運用音韻學、訓詁學等方法，考證藥物名稱，對某些生僻文字進行注音，如「某某切」「某某反」「音某」等。或重視「轉音」，指出文字有「一聲之轉」，以此考察一物异名的形成。如卷下蠃蚌蛤條，從音轉角度認識同物而异名，用音韻學規範其讀音及聲調，用「聲之轉」提示音轉現象，運用音轉原理來解釋某些古今用語或方言俗語的异同，進而考證同物异名的由來。儘管全書主體是以漢字書寫，但也夾有個別朝鮮文字和日文假名。如卷上根树條，記載了日朝醫藥交流情况，言「鄉音謂之가줘나묘」；本草名下出其日文名稱，如卷上連錢草下小字注「癇取草ツルハッカ」。

直接引用與間接引用相結合，間接引用則言「某書引某書」「某書載某書」，或「某人云」「某人言」。如卷上梅雨條，「又馮應京《月令廣義》引《古雋略》云」；卷上温泉條，「劉侗《帝京景物略》載泰西熊三拔曰」；卷上伏龍肝條，「倪朱謨《本草彙言》云：張相如云」；再如卷上白酒條，吴從先《小窗别記》引《魏略》之論；卷上五辛菜條，《荆楚歲時記》注引《周處風土記》内容等。或深入考證間接引用的文獻，務求詳實可靠，反映出作者嚴謹的治學態度。如卷上石炭條，大段引用明・顧炎武《日知録》中的內容，在「崔銑《彰德志》作烸」後，小字言「《志》曰：安陽縣龍山出石炭，入穴取之，無窮取。深數百丈，必先見水，水盡然後炭可取也。炭有數品，其堅者謂之石，軟者謂之烸……」，詳論「烸」之出產采取等問題；又如卷上牡丹條，曾槃仔細閱讀《吕覽》，發現其中并無方以智在《通雅》中提及王冰徵引《吕覽》的内容，并經親自考證後，得出王冰所引文獻出自長孫無忌等《唐月令》的結論，并直指「方以智以爲《吕覽》之文者，疏矣」。

對形態相近的易混藥物進行比較。如卷上連錢草條，比較了「連錢草」與「積雪草」的形態异同；卷下鱮魚條，詳細區分「鱮」與「魴」的不同，分析「鱮」與「鰱」之聯繫。或就不同地域的物產進行對比考證，比較日本本土與中國所產藥物的優劣差异，糾正世俗的錯誤認識。如卷下天蠶條，「我藩大隅嘗以樟葉養之，其絲較華產少劣，世或以螳螂養之云，非也」。或從地方志的物產方面進行考證。如卷上水蘇條對薄荷的考證，就通過《蘇州府志》《吴縣志》等，明確了上貢京師的龍腦薄荷即是蘇州所產薄荷。或就文獻之間的源流關繫進行對比考證。如卷下附録菁茅條，引用諸家文獻對菁茅進行論述，梳理對比其間的源流關繫。

除了通過文獻進行考證外，曾槃還結合自身的實踐體驗考證藥物。或實地觀察藥物的進口交易情況。如卷上豆蔻條，「今商船所賫來，即有豆蔻、草果二樣，意應如鎮（何鎮）説」。言及當時日本的藥物來源依賴海上貿易進口，且已有普遍的僞充、摻假、售假情況。如卷上藿香條，茄葉常被摻入藿香中售賣，「今見舶渡二樣者，駁雜不一，吁可慨耳」。或根據當時藥物製假售假的情況，親身實驗鑒別。卷下熊膽條，「槃欲明之，乃探世之試法」，運用多種方法進行驗證，然「比比皆不然」，後根據自己「嘗閱真膽」，述其鑒别真僞之經驗并記録爲證。卷下麝香條，列舉製假之情形，并述藥材真僞辨别之法。對未敢確信之説，則「姑記前人之説焉」，雖結合自己的審查考證心得，詳引製作方法，然直言「未知其然否」。或以自身見聞及經歷，以證他人説法之真僞。如卷下附録鱖條，針對時人以「鮏」爲「鱖」之説，享保年間（一七一六——一七三五），清朝商人曾將風乾的鱖魚贈送日本人，曾槃當時親眼得見，「余十年前於躊（躋）壽館中觀之，此亦與鮏异」，證明「鮏」與「鱖」不同；卷下獺肝條，親自剖獺取肝觀察，見其皆是七葉，僅葉與葉之間大小不同，又結合既往日本香川大沖曾經解剖獺，其記載也是七葉，以此作爲佐證，批評此前「釋物類者，徒賴書籍以辨形狀，妄作紙上空論也」。曾槃不僅注重文獻考證，亦重視臨床療效，故卷下鷄舌香條針對文獻記載「海東麻子大如蓮實」；陝西極邊枸杞大可柱，葉長數寸」；人有在韶州見自然銅，黄如金粉，價值於金」等，指出「今之醫者治病少效，殆亦藥材非良也」，提示藥材質量下降是制約臨床治病療效的關鍵因素之一。

曾槃立足於日本本土，揭示藥物對應的日本本土道地産地，描述具體的炮製工藝。如卷上玻璃條，「大和栗山産之」；卷下蠶條，分析日本不同産地的蠶品種質量不同，并述其不同炮製方法，富有本土特色。或考證日本本土物種與中國藥書記載物種之异同。卷下比目條，詳述日本本土羽州秋天城外河中奇魚與比目魚之异同。或記録日本不同地域方言，從方言角度考證藥物名稱。

運用古籍中記載的效驗簡便方和世傳名方用藥來考證藥物。如卷上防己條，「思邈《千金》陟厘丸，方中云漢中木防己，是其證也」；卷下鷄舌香條，「古方五香連翹湯用鷄舌香，《千金》五香連翹湯，無鷄舌香，却有丁香」，以此證明鷄舌香即丁香；卷下蟾酥條，言蟾酥爲製作紫金錠的中藥組成；卷下文蛤條，「宋世以來，五倍子又名文蛤，蓋由似其功之似而名也，然《三因方》仲景文蛤散用五倍子，誤。近來《金鑑》亦依其誤焉」，以此分析古今藥物誤用的原因、方劑用藥之誤；卷下附録坯子燕脂條，引《魏氏家藏方》坯子散方，考證燕脂的基原。或以家學家傳醫藥學内容進行考證。如卷上神麯條，「余家自先世造此，亦依葉氏法，唯用大麥麵而不用白麵」，其後言「舊聞正保中明醫程宗孜投歸住於肥前唐津，其造神麯，乃與余家法同，抑亦有所見於此邪，聊述其説」。

（三）突出重點，闡述己見

全書主要考證與藥物名稱相關的問題、本草學基本知識及相關知識，如既有藥物正名、异名、形態基原、分類等「名實」内容，亦有藥物形態、産地、采收、貯藏、質量、等級、鑒别、優劣真僞、炮製、性味、功效主治等内容，但相對較少。

書中羅致諸多文獻記載的相關内容，援引諸家觀點，闡述己意，點評不足，或駁斥當時的舛錯訛誤之論。如卷上雹條，「若夫蜥蜴龍鱗之説，則樵牧市語也」；卷上礦條言「礦……銅鐵璞石也，今本草作撲，非」，皆表明作者并不認可。當作者贊同某一觀點，則言「此説得之矣」「此説姑是，補本草之闕，因以録於斯」。或未有定論及無法考證，則存疑待考，言「并記之，以俟博物君子采焉」。或取某説爲是，如卷下梓楸條，雖「古今猶爲紛綸，遂無一定之説……槃姑取崔、陸之舊耳」。曾槃雖有尊經思想，但多闡述己見，或解釋文獻内容，或追溯文獻之源，多以大字「槃按」「槃意」「按」「又按」「余按」「今按」等引起，亦有用小字雙行夾於大字正文之中加以闡釋。對某些無法理解或解釋的地方，則直言「不知何謂」；雖某些觀點或言論「似可廢，故姑録於此，以廣异聞」，只是記録留存作爲後之學者研究文獻的資料。

針對錯誤觀點産生的原因，曾槃舉出歷世不實之説，在卷上空青條批評「妄從古人之臆度而釋之，遂傳其謬，流習既久」；或有傳寫之誤，而致後人漫無所考；或如卷下附録蟬條提出，若只是一味迷信，則不免流俗而徒信舊説，「不親觀其所用之名物，以意測度，又尋經引傳以釋證之爾。夫萬物之理，非的識其情狀求之，經傳輾轉生訛，況《爾雅》《玉篇》，何可盡信」。

（四）《綱目》爲基，補闕查漏

《本草彙考》無論是目録編排，還是書中反復出現的關於《本草綱目》的論述，都表明曾槃非常重視對《本草綱目》的研究，他以《本草綱目》爲基礎，引述詳備，且注意補其缺漏不足。從卷上齏水條引用的文獻分析，便可見一斑。此處文中出現的「廉薑注」「薄荷注」「蒜注」「芥注」等，實際皆來自《本草綱目》相應藥物下的内容，看似援引諸家觀點，實則轉引自《本草綱目》。書中亦多針對李時珍《本草綱目》的舛訛及缺漏發論。如卷上柴胡條，「時珍所釋殊疏矣」；卷上水蘇條，「以上諸書，薄荷亦名鷄蘇，《綱目》特收水蘇之條者，疏矣」；卷上麥門冬條，「李時珍以《吴普本草》并入麥門冬，誤矣」；卷上鈎吻條，「時珍謂堇黄花者殺人，而不知爲鈎吻，不亦疏乎」；卷下餘甘條，「東璧《綱目》渾（混）入庵摩勒條，蓋疏也」等。

《本草彙考》書中雖較少論及性味、功效主治的内容，然亦有諸多論述能補《本草綱目》之不足。如卷下鶴肉條，「《綱目》欠鶴肉主治。案李梴《入門》云：氣味鹹平，無毒，主治益氣力。今録此以補其違（遺）耳」；卷下底野迦條，「《本草綱目》所載尚未詳，因今譯蘭書所載其第一級方，以補《本草》之闕」。

四 版本情況

《本草彙考》現有幾種鈔本傳世，分别藏於日本國立國會圖書館白井文庫、西尾市立圖書館岩瀨文庫、杏雨書屋等處。❶

本次影印采用的底本，爲日本國立國會圖書館白井文庫所藏鈔本。此本藏書號「特1—920」，分爲上、下兩卷，共有二册，每卷一册。四眼裝幀。封皮、内封的題箋上均有「本草彙考」書名及卷次，右上角皆貼有藏書號標簽。書首無序，書末無跋。兩卷之首均有「分目」。第一册正文首葉題「本草彙考上卷／曾槃士考輯／越通永季錫校」。全書文字抄寫在預先印製好的紙張上：四周單邊，有暗紅色方格綫。版心上方、下方各有紅色魚尾一枚。書口未見書名，其下方有葉碼。正文每半葉十行，每行二十字。正文中藥名或名目所在行縮進三格，下文頂格書寫。卷上文中以朱筆添加句讀，并以雙劃綫標明朝代、地域，用單劃綫標劃人名。但自卷上三十三葉「萱草」條至卷上末葉，未用朱筆標注；卷下僅有句讀，未見單、雙劃綫。朱筆句讀和標識與修改補遺缺漏相關，字迹與正文不同，可知非一人所爲，應爲後之閲者或校者所加。此外，若有謄抄錯誤之處，校閲者會在遺漏處以朱筆小圈勾出，并於該列文字上方葉眉處以朱筆補寫缺漏之字，或附紙條補出缺失文句，補充考證藥物。書中可見部分蟲蛀痕迹，但全書整體品相尚好。此外，書中存在葉碼錯誤或缺失的情况。如卷上「廿五」葉碼

---

❶ 〔日〕國書研究室．國書總目録：第七卷［M］．東京：岩波書店，一九七七：三八四．

重複，但内容不同；卷下附録自第十二葉（實爲第十一葉）起均無葉碼，而最後一葉爲「六十五」葉等。讀者閱讀時應予注意。

總之，曾槃是一位非常著名的日本本草學家，在本草文獻考證領域造詣精深，影響較大。曾槃一生著作等身，其中的《本草彙考》是一部徵引廣博、内容豐富、分析嚴謹、考證翔實的本草學著作。書中徵引的文獻，縱攬古今，横跨東西，無論是醫學與非醫之著，凡涉所考藥物，無不漁獵殆盡，從中擇善而從，加以己見，分析闡發。其書不僅從某些側面折射出李時珍《本草綱目》對日本本草學發展的深刻影響，也不難發現西洋醫藥學、博物學的影子，反映出日本江户時代醫家在本草文獻考證領域較高的專業水準和嚴謹的治學態度。因此，深入發掘、整理并研究曾槃所輯《本草彙考》及其相關的《本草綱目纂疏》等著作，對於全面考察《本草綱目》在日本的傳播影響，深入探究日本漢方醫界考證學派的特色與成就，甚至是研究東西方醫藥學術的交流等，都具有較高的文獻學和歷史學研究價值。

孫清偉　蕭永芝

本草彙考　上
920

本草彙考
上巻
特1
920

本艸彙考分目

（注：二二、二三葉展示二〇、二一葉上的夾紙信息，特此加葉。）

本艸彙

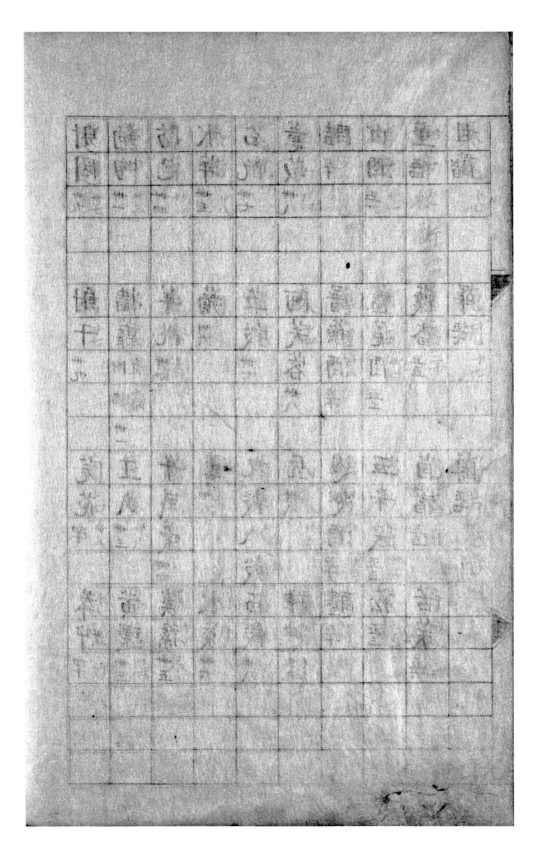

本草彙考上卷

曾槃士考輯
越通永季錫校

梅雨

郎瑛七修類藁云碎金集云芒種後逢壬入梅夏至後逢庚出梅神樞經又云芒種後逢丙入梅小暑後逢未入梅人莫適從予意者作書者各自以地方配時候而然耳又馮應京月令廣義引古雋畧云黃梅雨梅當作黴因雨當梅熟之時遂訛爲梅雨通雅作霉雨同占候進梅占又云天道自南而北凡物候先于南

方故閩粵萬物早熟半月始及吳楚今驗江南梅雨将罷而淮上方梅雨又踰河北至七月少有黴氣而不之覺矣以此言之壬丙進梅不足定擬固當易地而論之耳按周處風土記云夏至前芒種後雨名黃梅雨

甘露

杜鎬言甘露非瑞也乃草木将枯精華頓發於外謂之雀餳今所稱甘露者多是而已

雹

游子六天經惑問云氣之三際中為冷際下近地溫

上近火熱極冷之處乃在冷際之中二時之雨三冬
之雪蓋至冷之初際卽已變化下零矣冬月氣升其
力甚緩非大地同雲不能扶勢故雲足甚廣二時之
雲足亦濶雲生緩遲卽雨舒徐皆變于冷之初際也
夏月鬱積濃厚决絶上騰力專勢迅故雲足促狹隔
塍分壠溝澮旋盈蓋因其專鋭故能經至于冷之深
際氣升愈厚騰上愈速入冷愈深變合愈驟結體愈
大矣遽升入極冷之際驟凝爲雹雹體大小又因入
冷之淺深雲氣之厚薄也雹中砂土更多于雪雪體
中虛以其激結之驟包氣于中也如器盛冰雪外成

温潤非極冷与外氣相激之徵乎若夫蜥蜴龍鱗之説則樵牧市語也

神水

綱目以立春清明二氣水爲神水按范泓典籍便覧以陶朱六日水爲神水陳後山叢談以臘月水爲神水鍾伯敬遵生八牋及王璲藥性纂要並以鉛霜爲神水陳九部徽瘡秘録以山鉛銀箔等之物煆煉者爲神水知是神水不一

上池水

東坡食茨法云舌頰唇歯終日囁嚅而茨無五味腴

而不膩足以致上池之水故食茺者能使人華液通流轉相挹注積其力雖過乳石可也知是口中津液神水也

節氣水

盧不遠芝園臆艸云乃立春節十五日內所雨之水取其資始發育之義餘二十三氣中雨可類推之此說足以補本艸注

溫泉

游藝天經惑問云火之精微別有洞穴上通全體俱出則爲西國火山蜀中火井若遇石氣滋液發生則

而不膩足以致上池之水故食芡者能使人華液通
流轉相挹注積其力雖過乳石可也知是口中津液
即上池水也

節氣水

盧不遠芝園臆艸云乃立春節十五日内所雨之水
取其資始發育之義餘二十三氣中雨可類推之此
說足以補本艸注

溫泉

游藝天經惑問云火之精微別有洞穴上通全體俱
出則爲西國火山蜀中火井若遇石氣滋液發生則

三

（注：三二葉展示三一葉上的夾紙信息，特此加葉。）

成硫礬泉源經之即為溫泉劉侗帝京景物畧載泰
西熊三拔曰溫泉硫之華疾寒服硫不若服湯泉其
實繇地熇沍溫涼之徵變故壤爲之硫泉爲之湯豈
根硫也西國有山焉七十餘泉皆湯國王試淂其性
味氣各所主治各標厥泉以教國人不獨硫爲藴門
荅剌國境布那姑兒山産皆硫黄不聞其泉湯也醫
賸載白氏六帖毖彼溫泉湧于地脉溫源愈出靈液
徐清合水火之德澤浸萬人倍藥石之功蠲除六疾
宋呂愿中和州半湯泉詩郡境水多沸陳村泉類湯
人情尚氷炭地脉亦炎涼唐子西云溫泉自是水性

一種如人吹氣則寒呵氣則熱以上数說與稲若水火脉水脉之說差相符矣實曆中平安原公瑤著温泉小言一書博引諸書頗有所見予嘗序之

陰陽湯

河水井水亦謂之陰陽水見明徐爾貞醫滙

虀水

劉熙釋名虀濟也與衆味同相濟也廉薑注異物志云南人以爲虀其法陳皮以黑梅及鹽汁漬之乃成也薄荷注蘇頌云或薤作虀食同莖葉氣味蒜注宗奭曰華陀用蒜虀即此蒜也芥注蘇恭云子但作虀

云

四

居家必用云菘菜淪湯而造之入門亦同乃知虀非指一種也

柴薪火

金匱要畧牛羊肉皆不得以楮木桑木蒸炙食之令人腹内生蟲焚生樟木而煑湯則其湯味變焚石炭而煑湯則其湯忽冷焚蘆草而煑蕎麥麪線則其麪線悉爛烏樟炊飯樟氣裛于飯又焚破竹升燒酒則其酒尤烈

太陽土

新知畧集云有每日廻家八神命曰伏生陽社宗丸

驚開假令子日以伏當一宮太陽有東方丑寅日以伏當八宮大陽有辰巳之類餘宜以類推之天民按九宮云者增正中之一宮耳又詳胡文亨趨避檢及事林廣記即有圖載

彈丸

漢書酷吏傳云探丸爲彈師古云為彈丸作赤黑白三色而共探取之也說文彈丸行丸也成式雜俎云負元末閩州僧靈鑒善彈其彈丸方用沙土炭末瓷末榆皮泔澱紫礦細沙藤紙渴搯汁等物以造焉本艸序例云如彈丸鷄子黄大謂梧子大者四十也又

五

云梧子大如胡椒别録云以二小豆准一大豆以二大豆准梧桐子以十梧桐子准彈丸鷄子黄大千金外臺皆同

伏龍肝

活人書云伏龍肝即竈中黄土也倪朱謨本艸彙言云張相如云藏而不見曰伏隱而不見曰龍藏血而收攝吾身之納氣曰肝故命曰伏龍肝此說淂之矣

紫金

高濂古玩品云古云半両錢即紫金今人用赤銅和黄金爲之然世人未嘗見真紫金也是即本邦所制

紫銅而俗所誤呼赤銅

礦

王繼先云礦未經火煉夾石氣之生銅也而礦鉚同鉚亦同丱丱音公金伏于石未冶煉者周禮注金未成器曰丱俗作𥐕礦鑛贊銅鐵璞石也今本州作撲非酈道元水經注馬子河中有貝子胎銅箋云胎銅謂銅璞也此邦銅治者亦謂銅礦曰璞

錢

管子曰周流四方有泉之象國語注云古曰泉後轉爲錢高峻事物紀原云錢之由尚矣周自太公立九

六

府圜法其文無見景王鑄大錢班固云文曰寶貨秦漢時半兩五銖按漢景帝造四銖文曰半兩今民間罕傳者最輕意者盖是予又呂后行五分錢應劭所云莢錢也王莽時貨泉貨布後魏孝文大和十九年公錢粗備文曰大和五銖又孝莊用楊福計永安二年福更鑄文曰永安五銖自是始以年号鑄於錢文唐會要云武德四年七月十日廢五銖錢行開元通寶自是又以通寶爲文高宗乾封中則曰乾封泉寶肅宗乾元時則曰乾元重寶五代會要云晉天福三年十一月詔鑄錢以天福元寶爲文及僞蜀之制有光天咸康通正漢天乾德之號皆曰元寶至於宋

朝每改元又更鑄其号於錢文矣盖錢文之以年自後魏孝文大和始也以寶者自周景王大錢始也以通者自唐高宗武德始也以重者自肅宗乾元始也以元者自晉高祖天福始也楊億談苑云國家開寶中錢文曰宋通元寶至寶元中則曰皇宋通寶近世錢文皆著年號惟此二錢不然者以年号有寶字故也槃按錢文以地名者三韓東國海東朝鮮之類是也吾邦勢州宮錢是也又天明中伊達侯所行仙臺通寶是也又按凡鑄錢以金者蓋始于殷見六韜以銅者蓋始于秦見漢志以鐵者蓋始于蜀見強識畧

玉名

揚升菴玉名詁云瑗肉倍好也璧好倍肉也環肉好若一又曰玉空邉等也瓏禱旱瑞玉刻爲龍文也琥發丘瑞玉刻虎文也珵發玉也理六寸光自然璠璵魯玉也琱齊玉也瑓晋玉也瓊赤玉也瓐碧玉也瑎黑玉也瑿玄玉也玭紫玉也瑌玊半白半赤也璊[illegible]色也瑋青玉也琯也理玉膚也璞玉未理琢玉始理也琈玉采也璘瑀玉文也珨玉顏也璄玉光也瑜玉中中美也璪玉加琢飾也玓瓅玉點也玷玉缺也玦大璧也瑕璋大八寸也瑄大六寸璋半圭判白也琦片

玉也玨兩玉璉奉使玉盛之車答問者也璗玉華相
帶如琴絃也璪玉英羅列秩々也瑞舜所輯玉也琯
舜所受西王母獻玉也琰夏桀寵女名刻于玉也琬
周玉結好圭也靈以玉事神也端祀天玉也璹玉器
也瑁圭頭邪刻也璪玉飾弁也琄玉佩之長也瑬玉
垂玉飾冕也珩珮玉節步也玦玉珮不連也瑒扈飾
佩刀也璣珠不圓也珽圭長三尺也玫火齊珠也瑛
水晶也瑫玉在櫝也玩兒弄璋也珈以玉飾笄也瑱
以玉充耳也琫佩刀下飾也璏玉劍鼻也珇印鼻也
珖玉琯也珂以玉飾馬銜也珹老雕入海化爲珂珹
八

蚌屬卽車渠也璫穿耳附珠也瑁蠻女充耳玉也瑑
圭有凸鄂也珧江珧蚌也琀蜃器也瓖馬上飾玉所
謂金錽字典亡范反音叉玉瓖也琇〻瑩美石也瑬字典以周切
以玉相贈遺也玖黑色玉可作鏡也珷玞石似玉也
瑕玉病也瓛玉上大下小也

琅玕　珊瑚

本艸青琅玕集解時珍曰在山爲琅玕在水爲珊瑚

玻瓈

惠琳藏經音義云頗梨水精也又云水玉或云白珠
大智度論云此寶出山石窟中一云千年氷化爲之

此言無擿王文絜云玻瓈卽水精李時珍云玻瓈與水精相似礮開有雨點花者為真槃按唐書南蠻傳云玻瓈國名又范泓典籍便覽及曹昭格古要論謂水精有但礮花者必有節病乃知玻瓈國所產水精者必有節病故爲五彩光槃意釋氏以其有光彩爲寶乃謂之玻瓈耳此方大和羽粟山產之云

水精

張揖廣雅云水精謂之石英徐鍇說文字解云英亦作瑛楊愼玉名詁云瑛水晶也則知水精石英正是一物唐陳藏器強判之耳

九

琉璃

本艸云有天生者有人工者槃按藏經音義云吠琉璃梵語寶石也其寶青色瑩徹有光凡物近之皆同一色帝釋髻珠云是此寶天生神物非是人間鍊石造作焰火所成瑠璃也淵函引宋書云須彌之山有吠瑠璃焉火不能燒金不能破是皆天生之證也又御覽引魏畧云湯石作流離魏志云天竺人商販至京自云能鑄石為五色琉璃於是採礪上石于京師鑄之集韻云琉璃火齊珠也齊劑也寇宗奭本艸衍義云琉璃乃火成物而亦有琉璃瓦琉璃瓶琉璃燈

琉璃屏琉璃盤等之目皆鑄石造之是乃人力之證可以觀焉

菩薩石

正字通瑘字註菩薩石就明能出五色光今名山多有之俗稱放光石是也最貴者曰金剛寶石而物理小識金剛鑚極大者瑩白放光所謂金剛者蓋菩薩石耳

蠟石

按滑石之上好者即蠟石也蠟石之名蓋見何喬遠閩書及高濂遵生八牋等書宋杜綰石譜謂之石州

閩書云蠟石石色如蠟

十

物理小識謂之青田凍石

石。王漁洋香祖筆記云印章舊青田石以燈光爲貴三十年来閩壽山石出質溫栗宜鐫刻而五色相映光采四射紅如靺鞨黃如蒸栗白如阿雪時競尚之價與燈光石相埒近斧鑿日久山脉枯竭或以芙蓉山石充之無復寶色其直亦不及壽山五之一矣二山皆在福州高士奇江村銷夏録引下二濟壽山石記云間有類者珀者玫瑰玳瑁硃砂瑪瑙犀若象焉者其爲色不同五色之中深淺殊姿别有緗者縓者綺者縹者葱者艾者黝者黛者如蜜醬如鞠塵焉者如鷹褐如蝶如魚鱗如鷓鴣斑焉者舊傳艾綠爲上

今種〻皆珍矣

滑石

攈醫録載滑石攷本艸初取軟如泥久漸堅時珍云今人亦刻圖書不甚堅牢閲高士奇江村帰田集云凍石舊時處州山中往〻從璞中剖出初本輭見風始結爲石故名曰凍其色或淡白淡黄淡青光澤可愛以之鐫刻圖記遠勝銅玉近惟青田舊坑間尚有之凍石絶石可淂矣依此說青田凍石蠟凍燈光之屬乃與滑石一類後又閲包汝揖南中紀聞收在硯雲甲編中云大理石初採時柔軟可卷取出見風始堅勁採

十一

石工必諳畫理臨採携畫譜進壑遇可點綴處輙用揩法那移添湊片々揭下幕卷懷出故大者最難淂大理石作什器者今呉船多賷来其質與滑石殊異然則見風堅結者不特滑石之類然也

鐵畹豆 無名異

景日昣說嵩云無名異似石非石似金非金狀似蛇黄而中黒色一名鐵畹豆此能録淂其狀而鐵畹豆之名亦確當尚且新

石炭

顧炎武日知録云今人謂石炭爲墨按水經注氷井

臺井深十五丈藏冰及石墨焉石墨可書又然之難
盡亦謂之石炭是知石炭石墨一物也有精麤爾史記
外戚世家竇少君爲其主人山作炭後漢書黨錮傳夏馥入林慮山中親突煙炭皆此物也北人
凡入声字皆轉爲平故呼墨爲煤而俗竟作煤字非
也玉篇煤炱煤也韻會煤炱灰集屋者呂氏春秋孔
子窮於陳蔡之間七日不嘗晝寢顔回索米得而爨
之幾熟孔子望見顔回攫其甑中而食之選間食熟
謁孔子而進食孔子起曰今者夢見先君食潔而後
饋顔回對曰不可嚮者煤室入甑中棄食不祥回攫
而飯之高誘曰煤室煙塵之煤也素問黑如炲者死

註炲謂炲煤也唐張祜詩古牆丹雘盡深棟墨煤生
李商隱詩敵國軍營漂水㧃方映反按說文當作柿削木札樸也後漢書方
術揭方傳風吹札柹前朝神廟鎖煙煤溫庭筠詩煙煤朝奠處
風雨夜歸時是煤乃梁上煙煤之名非石炭也崔銑
彰德志作烸志曰安陽縣龍山出石炭入穴取之無窮取深數百丈必先見水水盡然後炭
可取也炭有數品其堅者謂之石軟者謂之烸氣愈臭者然之愈難盡水可以煎礬終不若晉絳者云
按玉篇廣韻並無烸字石炭之所以自而生焉河海
山谷石油湼湧而緜亘處生之其始僵仆之樹經年
埋地中或沒水底石油与其脂液相交接而其深者
爲地火所薰蒸淺者爲太陽所照臨是故石油之氣

遂浸漬其質以成炭矣雲南通志石炭之一種狀如樹而有條理者謂之木煤又浸漬於巖石及塵土者其理亦一矣其質尚存塵土半被冒于石油者謂之劫灰又其浸漬於樹脂者謂之瑿珀

磁石

余嘗疑磁石吸鐵及磁鍼指北者既有年矣偶讀南懷仁靈臺儀象志始得其說以解曩日之惑焉其言云夫吸鐵石卽磁石之氣者無他卽向南北兩極之氣也在赤道以南之地則指南極在赤道以北之地則指北極詳見儀象圖中夫吸鐵石原爲地內純土之類其本性之氣与地之本性之氣無

十三

異耳又稽夫講五金諸書皆以鐵性爲純土之性即五金中鐵之體爲最近純土之體如鐵之有鏽也原其所從生則亦類乎土之渣滓此可以推其理也其餘四金之體皆爲雜體則離純土之性更遠矣所謂純土者即四元行按西法以水火氣土爲四行之一行並無他行以雜之也夫地土之淺土雜土爲日月諸星所照臨以爲五穀百果草木萬彙化育之功純土則在地之至深如山之中央如石鐵等礦是也審此則鐵及吸鐵石并純土同類而其氣皆爲向南北兩極之氣懷仁云燒紅之鐵以銅絲懸之空中既復原冷則兩端自轉而向南北兩極再如舊墻內生鉎鏽之磚等照前法懸

之空中亦然又嘗放天下萬國名山及地內五金礦大石深礦其南北陡衰而上明視每層之脈絡皆從下至上而向南北之兩極為仁等從遠西至中夏歷九萬里而逾縱心流覽凡于瀕海陡衰之高山察其南北而之脈絡大槩皆向南北兩極自各轉動本體之兩極而正對夫天上南北之兩極此皆本乎地之脈絡者然也槩按徃嵗有人到武州秩父山中掘礦煉鐵其坑中磁石極多竊以為此蒼鐵礦是以竭力精煉果淂剛鐵數斤此事太奇古人所未言及也懷仁之言畧幾乎斯

空青

按青字有二義荀子曰青出之於藍而青於藍說文藍染青艸此皆藍青之青也而詩邶風綠竹青〻小

十四

雅其葉青〻此皆緑青之青也唐陳藏器強以緑青之青釋空青李時珍亦依此故後人皆以爲然矣今攷之空青曾青扁青盧青白青楊梅青魚目青咸同一物也但由其形狀異名耳其質則紺青也空青者内虛而有孔空曾青者層〻而生曾層也扁青者即扁生盧青者其色深碧盧黑色蒼對白青而言焉諸本艸誤作膚青獨太平御覽所引本艸經作盧青於是吾始識歷世之訛白青者即淺碧楊梅青者以狀似命之魚目青亦然蒼空青者雖稀世之寶據文察之昭〻予識其真矣歷世說空青者妄從古人之臆

度而釋之遂傳其謬流習既久吁哉

甘草

爾雅蘦大苦郭璞注甘艸也邢昺疏云古人倒語姜
兆錫參義云按以蘦爲甘艸疑与大苦之名不協然
衛風簡兮隰有苓詩傳實引此文此所謂古語不嫌
倒用也然則以苦爲甘猶以亂爲治以汚爲瀞之類
与嘗讀沈括筆談括辨其非以爲黄藥檗按吳儀一
徐園秋花譜云蘦之花實似甘艸而叢生則異其根
苦似黄藥而無藤蔓別是一物結角角折子出如豆
而青故名青蘦子堅不可齧正与甘草子同但畧大

十五

雅其葉青〻此皆綠青之青也唐陳藏器強以綠青
之青釋空青李時珍亦依此故後人皆以爲然矣今
攷之空青曾青扁青青盧青白青楊梅青魚目青咸同
一物也但由其形狀異名耳其質則紺青也空青者
内虛而有孔空曾青者層〻而生曾層也扁青者即
扁生盧青者其色深碧盧黑色蓋對白青而言焉諸
本艸誤作膚青獨太平御覽所引本艸經作盧青於

陳藏器強以銅精欵之銅精即綠青後人或以爲然

（注：五八、五九葉展示五六、五七葉上的夾紙信息，特此加葉。）

爾雅蘦大苦郭璞注甘艸也邢昺疏云古人倒語姜
兆錫参義云按以蘦爲甘艸疑与大苦之名不恊然
衛風簡兮隰有苓詩傳實引此文此所謂古語不嫌
倒用也然則以苦爲甘猶以亂爲治以汚爲澣之類
与嘗讀沈括筆談括辨其非以爲黄藥槃按吳儀一
徐園秋花譜云蘦之花實似甘艸而叢生則異其根
苦似黄藥而無藤蔓别是一物結角角折子出如豆
而青故名青蘦子堅不可齧正与甘草子同但畧大

剥之其肉白而甘美、唐陸龜蒙爲四明謝遺塵咏詩云、山實號青蘦、緑岡次第生、則形堅緑殼、中味敵璿、英、皮日休和詩、形同玉腦圓、皆是實録、因傳寫誤作青櫺、致後人漫無所考、又詩隰有苓先見邶風、而必引唐風首陽采苓、傳會甘艸所産地、不知此物在江南亦多也、并記之、以俟博物君子采焉、

人參 別記

黄精　葳蕤

呉普本艸所謂葳蕤、別録所謂黄精苗也、按呉普云葳蕤葉青黄色、相值如薑、別録云萎蕤立春後采、黄

精二月采根此葳蕤不曰采根黃精曰采根而亦韻會葳蕤草木葉垂貌又圖經引隋羊公服黃精法云黃精一名葳蕤一名地節時珍引瑞草經黃精一名黃芝然魏樊阿傳青黏即黃精一名黃芝一名地節此乃一物可證又按魏晉間譔別錄者或疑不察其眞是以不釋物狀今本艸所引多弘景集注之文妄聚三百六十五品耳而后追乎弘景注之以根概節者為萎蕤大節者為黃精是但以其徐暢為異豈不誣乎至時珍謂黃精其根橫行如萎蕤萎蕤橫生似黃精此豈從何而分之哉時珍順釋前文以膠之耳而后世言本艸者

十六

亦因古人之漫録尚未識敢爲一物傳譌既久矣

椴樹

朝鮮人參贊云欲來求我椴樹相尋東醫寶鑑作櫝樹往歲或人問之韓人趙崇壽明和九年聘客曰鄉音謂之가리나모音亞烏亞木案寬政五年冬朝鮮官船漂着于吾薩之夜久島後繫船山川要余時託之譯士大賀常安亞質其當否船客尹應衡言鄉文音葛設奈莫日本所謂楷木中原所謂柯也按柯即推詳見泉州府志樹直而長葉如柟葉枝疎性軟按周憲王本艸云椴樹：甚高大其木細膩可爲卓器枝乂對生葉似木槿而長大微薄色頗淡緑皆作五花椏乂邊有鋸齒開黃花結子如豆粒大色青白葉味苦

是與趙氏所荅者全别又按椵音貫与樌同埤雅云榎樌也亦楸屬爾雅翼云樌亦楸也所謂椵樹蓋即是耶亦不可知矣意者朝鮮所呼椵柯正其方言乎尚竢它日之深考耳

三七

清陳振先採藥録云廣三七又名旱三七治諸般血證注云三七有數種羊腸三七竹節三七謂之水三七人參三七蘿蔔三七謂之廣三七又云旱三七李中立本艸原始云三七狀似老乾生地黄有節色黄黑味甘而苦頗似人參之味綱目蓋襲此文中立明嘉靖人乃在時珍前

十七

幾補。椵。肌。此白膚。子紋。ノ為正格。
作神佛像料。。新成木材白者椵

音賈与檟同埤雅云
榎檟也亦椵屬爾雅翼云椵亦楸也所謂椵樹葢即
是耶亦不可知矣意者朝鮮所呼椵柯正其方言乎
尚竢它日之深考耳

三七

清陳振先採藥録云廣三七又名旱三七治諸般血證注云三七有數種羊腸三七竹節三七謂之水三七人參三七蘿蔔三七謂之廣三七又云旱三七李中立本艸原始云三七狀似老乾生地黃有節色黃黑味甘而苦頗似人參之味綱目蓋襲此文中立明嘉靖人乃在時珍前

十七

（注：六四葉展示六三葉上的夾紙信息，特此加葉。）

近来為本艸學者漫是爲廣東人參誤考諸書謂三七産廣西両未必謂産于廣東矣今方俗所謂三七者時珍三七欵下所載一種之艸耳今唐山俗稱艾葉落得打是也

秦艽

藜蘆條韓保昇云葉似鬱金秦艽蘘荷今據此說則秦艽諸注未必穩當

茈胡

急就篇乃作茈胡然戰國策舊已作柴胡按方密之云唐本注云茈是古柴字竟作柴胡又證以相如茈薑且云此根紫色不亦誣乎又有茈蘺晉傳咸刻令

更新立茈蘺此當讀爲柴此茈柴通借證也時珍所
釋殊疎矣

獨活 羌活

清劉若金本草述云按本經止有獨活之條謂其爲
一名羌活一名羌青一名護羌使者是也因此種生
於雍州川谷或隴西南竝是羌地故本經所謂羌活
者即是獨活非二種也然陶隱居言羌活而益州西
川者爲獨活是又一物而二種矣時珍歷據先哲諸
說而曰獨活羌活乃一類二種以中國者爲獨活西
羌者爲羌活正如川芎撫芎白朮蒼朮之義入用微

十八

有不同後人以為二物者非矣愚謂既云非二物即當根據本經以爲用奈何鶻突復以羌活屬羌獨活屬蜀就異地之所産分之為二乎但川中所産或別是一種獨活並屬可用耳今尊本經以獨活居前而後亦別出羌活因其用之有別難以滚同論也

細辛　杜蘅

按杜蘅者藥州細辛之葉也離騷經云雜杜蘅与芳芷王逸注云己積累衆善以自飾復植杜蘅雜以芳芷芬香益暢也又芷葺兮荷屋繚之兮杜蘅謂以荷爲屋以芷覆之又以杜蘅繚之也又被石蘭兮帶杜

蘅折芳馨兮遺所思五臣云所思謂君也喻己被帶
忠直又以嘉言而納於君山海經云天帝之山有艸
狀似葵臭如蘼蕪名曰杜蘅郭景純云杜蘅似葵而
香此乃細辛也神農經云細辛一名小辛其根細而
味辛因爲名耳而不言及杜蘅者則用其根未始用
其葉故也逮魏晉間人譔名醫別録復著杜蘅遂析
爲二條而又張華云杜蘅亂細辛此是謬言一出釋
本草者蓋證之無復辨別者偶宋沈括但云東方南
方所用細辛皆杜蘅也今以氣臭者爲杜蘅非然此
說爲張華遂熄矣此方松岡成甫亦嘗爲一先獲我

十九

心矣然近来以産植為事者或徒頼古人之臆度以辨形状之異同漫作紙上之空論以細辛之臭者為杜蘅今吾爲騷人駁正之或云杜若亦名杜蘅疑是杜若按杜若一名杜蘅者蓋始見于宋圖經

蘼蕪　江離

呉仁傑離騷草木疏云扈江離與辟芷王逸注江離香艸名洪慶善云司馬相如賦被以江離糅以蘼蕪乃二物也本艸蘼蕪一名江離〻〻非蘼蕪猶杜若一名杜蘅〻〻非杜若也顔師古注引郭璞云江離似水薺張勃云江離出海水中正青似亂髪郭義恭

云江蘺赤葉未知孰是今無識之者仁傑按說文江離蘼蕪也郭璞山海經注芎藭一名江離則芎藭也江離也蘼蕪也三者異名而同實慶善以相如賦疑之按淮南子云夫亂人者若芎藭之與藁本蛇牀之與蘪蕪亦以芎藭与蘼蕪並稱相如賦又云芎藭昌蒲江離蘼蕪泥此則芎藭蘼蕪亦不得為一物矣田藝衡云蘪蕪江離也音如離義故逐婦采之詩曰上山采蘪蕪下山逢故夫是也古言是當歸（按此說見存齊尔雅翼）誤矣當歸一名文無將離者則贈之以當歸交藤何首烏也食之多慾而有子故思婦采之詩曰上山

采交藤是也

蛇牀

爾雅蘮蒘竊衣郭璞注似芹可食子大如麥兩〻相合有毛著人衣又清王遜藥性纂要所謂鶴蝨葢皆蛇牀耳

芍藥

鄭樵草木志畧云芍藥著三代之際風雅所流詠通雅云古言芍藥卽兼牡丹漢稱木芍藥此其證也崔豹古今注有草芍藥木芍藥安期生服錬法有金芍藥木芍藥溫庭筠詩山寺明媚木芍藥所謂木芍藥

宋

皆指牡丹廣雅以芍藥爲攣夷不知何據而又古謂
調和五味曰勺藥藥音畧宋剡川西溪叢話云江淹
別賦下有勺藥之詩子虛南都二賦言勺藥之和乃
以魚肉等物爲醢食物也子建張景陽七命勺藥之
醬五臣注誤以溱洧之芍藥

牡丹

漢謂之木芍藥蓋未嘗知稱牡丹在于醫家則神農
本艸經載牡丹之目而文人之所稱蓋始於晉謝康
樂遊名山志泉山多牡丹又詩竹間水際多牡丹通雅云智按王砅所引呂
覽月令雷乃發聲下有芍藥榮田鼠化爲鴽下有牡

廿一

時

丹華按素問四氣神大論注則周末已名牡丹矣今閲呂覽無此文按唐詩改製月令卽長孫無忌等所撰唐月令一卷文獻通考載之王所引或卽是也方以智以爲呂覽之文者疎矣

杜若

楚辭搴汀洲兮杜若將以遺夫遠者王逸注遠者謂高隱賢士言已欲求高賢之士以香艸遺之與共脩道德也又華釆衣兮若英王逸注若杜若也仁傑云華若香艸名此言以華艸之色爲衣而以杜若爲飾耳此杜若之艸芳香英華與今人所云杜若大異沈

括補筆談云杜若即今之高良薑後人不識又别出
高良薑條是超卓之見

縮砂蔤

本艸名義未詳按廣東新語云縮砂者言其殼曰蔤
者言其仁曰縮砂蔤者言其鮮者曰砂仁者言其乾
者也此説姑足補本艸之闕因以録于斯

豆蔻

宋范至能虞衡志云紅鹽草果取生草豆蔻入梅汁
鹽漬令色紅王繼先紹興本艸云豆蔻採實爲用乃
艸果子也范王已以豆蔻草果為一物時珍亦雖為

一物其說不詳明陳嘉謨蒙筌折其目爲二條張景岳本艸正云此有二種建寧所産辛香滇廣者氣辛臭以上諸說互異按何鎮本艸必讀云鎮案攷之本艸止有豆蔻釋名下有草果草豆二名蘇頌李珣所說是艸果而無草豆蔻時珍所說有兩種是一物而微有不同時珍云出建寧者味和即艸豆蔻也産滇廣者味猛即艸果耳然近復有一種建蔻子色灰白又似艸豆蔻仁色微黃而成毬蓋由乎地産而異形耶亦不可知姑録以俟識者案今商船所賫来即有豆蔻艸果二様意應如鎮說

肉豆蔻

此本非草本西洋所產之木實也詳見六物新志

薄荷

冦衡美金幼心鑑云古方所載金銀薄荷爲湯使後之醫士遂於薄荷外加以金銀環同煎殊欠講明夫環者婦人女子常帶之物垢膩浸漬用以煎煮其味雜于藥内大非所宜切須戒此昔醫何澄論金銀薄荷乃金錢薄荷卽今家園薄荷葉小者是其葉以金錢花葉名金錢薄荷曰此理甚明非謂再加金銀同煎大概錢字與銀字相近故訛以傳訛是亦魯魚亥

廿三

豕之類也

積雪艸

徐儀藥圖名連錢艸是與天寶單方所載連錢艸別

按本艸經云積雪艸味苦寒無毒主大熱惡瘡癰疽

浸淫赤熛皮膚赤身熱陶弘景云方藥亦不用想此

艸當寒冷爾蘇敬唐本注云此艸葉圓如錢大莖細

而勁蔓生溪澗側擣傳熱腫丹毒不入藥用荊楚人

以葉如錢謂爲地錢艸藥圖名連錢本艸衍義云葉

葉各生擣爛貼一切熱毒癰疽等秋後收之陰乾爲

末水調傳以上据以上諸說考之所謂積雪艸即外

傳之藥後人不曉遂以單方所載連錢艸渾爲一今析爲二條積雪之狀春秋皆塌地而生莖圓葉厚其花細碎莖葉花藥都無芳香而隆冬枯槁

連錢艸 癇取艸 ツルハツカ

天寶單方云連錢艸圓葉似薄荷江東吳越丹陽郡極多彼人常充生菜食之河北柳城郡盡呼爲海蘇好近水生經冬不死咸洛二京亦有或名胡薄荷所在有之單服療女子小腹痛又蘇敬注薄荷云一種蔓生功用相似又圖經云胡薄荷與薄荷相類是乃單服之艸與積雪艸全別此草隨在有之狀似積雪

廿四

而莖方兩葉相對比積雪葉〻頗薄有毛茸其氣与薄荷相等故圖經謂之胡薄荷夏月葉間開花形似茺蔚花而小其色淡紫或有黄花經冬不凋

藿香

陳嘉謨云藿香采茄葉雜蕭京所謂茄葉之亂藿香是也李中立云欖花綿葉茄葉假充張璐云土人每以排艸葉僞充今見船渡二樣者駁雜不一吁可慨耳

蘇

通雅云蘇辛艸之總名也紫者曰紫蘇莖曰白蕪水

蘇曰雞蘇荊曰假蘇積雪艸曰海蘇石香薷石蘇与時珍所釋遞別

水蘇

綱目引吳瑞日用本艸以龍腦薄荷爲水蘇按顧元交本艸彙箋云薄荷蘇產者佳爲龍腦薄荷又劉若金本艸述云吳地者莖小葉細臭勝諸方宛如龍腦即稱龍腦薄荷（注吳地指蘇州）又九江府志云薄荷一名龍腦蘇州擅名因攷蘇州府志吳縣志等並云薄荷出府學前南園者爲佳謂之龍腦薄荷歲貢京師則知龍腦薄荷明是蘇州薄荷矣瀕湖亦謂以蘇產爲勝

廿五

未言及其為龍腦薄荷者何救荒本艸以為東平龍腦崗者乃閱一統志蘇州府管下無東平及龍腦崗之名蓋濟東之東平邪亦未可知也又綱目以吳普本艸雞蘇爲水蘇按救荒本艸薄荷一名雞蘇萬善保命歌括云雞蘇即薄荷也王肯堂證治準繩云雞蘇即龍腦薄荷王翃握靈本艸云薄荷蘇產者良又名雞蘇觀以上諸書薄荷亦名雞蘇綱目特收水蘇之條者疎矣

著

稻若水云按世無識著艸者相承皆以兌篤白絜當

之用其莖爲箠余少知其非是也每遇丘陵原隰登望以欲一識其眞而不可淂也寳永八年夏赴北土道經越前州遠覽岡原上有叢生條直高四五尺異於衆蒿者意其非凡卉駐輿往見乃益知其爲迨眞也第所見者白花與圖經所云紅紫者此獨爲不相合凡艸木花皆有紅白變態不一則此固不足以病其色之殊也然亦未敢決其爲眞也在金澤日常致奇卉異花以此自適終淂花紅者自喜之甚如奉咼呂持歸植之園中斷然知其爲眞而無疑益物色三十餘年淂之難乎哉槃嘗閲市中之書肆淂巖玄浩

廿五

之手録數篇中有蓍攷一篇此亦一家之遺言也槃乃惜其散逸因附于此蓍者非一物之稱按晏子曰蒿草之高者也爾雅云蘩之醜秋爲蒿蓋蘩之類至秋則高高於衆艸故通呼爲蒿也以是推之凡艸莖之幹存於深秋者可謂之蓍也故孔子曰蓍之爲言也耆也老人歷年多而更事久似能前知埤雅云蓍蒿屬也從耆艸之壽者也六十曰耆卦之别六十有四蓍數窮於此他諸書所謂耆老多壽之稱則以艸莖之老者者爲蓍則穩當爲得其實復奚神靈之有又按筮字從竹古三代時作筮蓍意以竹幹乎甚便揲

朸

艾

顔師古匡謬正俗云齊書云紀僧眞夢蒿艾生滿江鷟而白之大祖曰詩人采蕭即艾也蕭生斷流卿勿廣言按爾雅云蕭一名萩此蕭自是香蒿古之祭禮祈用合脂爇之以饗神者艾一名凍臺此則今之用灸病者二草名既不同稱類區別本非一物較然易了設使齊高談謬取會一時之應子顯不當著於史籍以誤將來學者詩云彼采葛兮一日不見如三月兮彼采蕭兮一日不見如三秋兮彼采艾兮一日不

廿六

見如三歲兮此之三章蓋詩人歷言葛也蕭也艾也以爲興喻故毛傳云葛所以爲絺綌蕭所以供祭祀艾所以療疾豈淂又言蒿與艾揔爲一物乎未聞以艾饗神用蕭灸病斷可知矣

蘩（白蒿下）

稱若水云爾雅云蘩由胡（按大戴禮廣雅皆作繁鄭注爾雅唯以艸蓋翻鏤之時誤）夏小正傳云蘩田（按由之誤）胡者蘩母也蘩萬（或作蒡必有一誤）勃也廣雅云蘩母蒡勃也俱繁字不從艸與皤蒿之蘩從艸者其種自不同所以郭景純鄭夾漈俱云未詳也陸元恪詩疏合爲一誤矣諸家不察以承其

誤

蒿類

通雅云曰蔚曰蘩曰艾曰蕭曰茵蔯曰夏枯艸曰九牛草皆蒿類也因塵即茵蔯張揖吳普並作因塵藏器曰此蒿類冬不死更因舊苗生故名茵蔯今考之冬亦枯槁但後於諸蒿耳蘩醜為蒿言至秋而老通呼為蒿也張揖謂白蒿為蘩母即此意茵蔯背白色也菁菁者莪為莪蒿即蘪蒿嫩時可啖以結角曰角蒿也采蘩為皤蒿即本艸白蒿今所食蓬蒿也鹿食為青蒿葉背面皆青所謂犼蒿所謂菣即今草蒿也

廿七

匪莪伊蔚為牡蒿即齊頭蒿也茺蔚臭甚曰馬矢蒿訛為馬先蒿又訛為馬新蒿者也蔞蒿即蔏蔞一名購生於湖地者也在水者曰游湖即爾雅之蘩由胡郭云未詳者也艾葉按之成絨者也葉如艾其背有白毛者九牛艸也廣中亦産之陳嘉謨以九牛艸為蘄艾或有所見邪盧氏雜說云唐文宗言苹非藾蕭鄭漁仲以苹為蔞蒿豈附會文宗邪元美以蔞蒿為藾蒿則更牽強王遵巖譏陸佃取安石說以鹿食之苹不從鄭箋而從爾雅則水苹豈鹿食邪此遵巖未全讀爾雅〻〻有萍又有苹鄭玄郭璞以苹為藾蒿

皆本爾雅也

番紅花

卽泊夫藍詳出六物新志

燕脂

通雅云燕支今作胭脂古通爲支閼氏燕脂字書因作䞓赦䞁脂雲麓漫抄云清微子服飾變古録云燕脂紏製以紅藍賜宮人號桃花粉崔豹云燕枝葉似蘇花似蒲出西方土人以染名燕支中國亦有紅藍西河舊事云失我焉支山使我婦女無顏色北方爲支山山多紅藍北人采其花染緋取其英鮮者作燕

廿八

脂故單于妻號曰閼氏音爲支字書作𧹞赦元志有
鷹房臙脂人户摠管習鑿與燕王書作烟支泰之引
煙脂升庵引王子可詩作細脂周紫芝竹坡詩話不
曉白樂天何以用燕支二字跡矣舊言染紅者三物
茜蔓艸葉似棗而鋭對生節間根紫色可染絳通作
蒨鄭玄曰齊人謂蒨爲韎甌人謂[illegible]口刺詩茹藘在
阪又曰縞衣茹藘尔雅曰茹藘茅蒐陸璣曰一名地
血齊人謂茜徐人謂牛蔓紅藍花者夏花花下作梂
彙多刺花蕋出梂上圃人承露采之至冬梂中結實
白顆如小豆其花暴乾以染其紅及作胭脂一名黄

藍博物志云張騫所淂也今洋船多販紅華至廣則
知博物之言驗矣疑耀引唐肩宗代國長公主作烟
支棄子于堦後乃叢生是則非艸此曲說也紫艸者
所謂紫丹紫芺哀老切圖經引爾雅藐䖃廣雅謂之茈
淚苗似蘭莖赤節青二月花紫白色妛引紅花為茹
藘別誤矣智又惟本艸於紫艸既證以相如之茈薑
且云此根亦紫色不亦誣乎又有茈蘺晉傳咸刻令
史新立茈蘺此當讀為柴蘺此茈柴通借證也智按
貨殖傳千畝卮茜徐廣曰卮今鮮支也茜一名紅藍
乃知今之紅花古亦稱茜而今有烏紅用蘇木染成

廿九

者洋貨以紫鉚染成者曰胡胭脂俗呼紫梗洋貨有
紫鉚綿出真臘國樹汁近刻雜俎作紫鉚誤矣是深
紅者凡五物槃按繪事指蒙載煎臙脂法先將紫梗
搥碎去其木梗乾淨每一兩重用七釐重葉七八片
用雪水同入於砂器內用文武火煎至三兩沸待紫
梗軟却用竹篦就砂器內用文武火煎至五七沸然
後滴於白磁器內不散爲度却用綿子濾去滓傾於
薄磁器內然鍋內頓乾火上頓乾亦瀉浸綿胭脂法
露水第一天井地中水并溝塹澄清水次之或雪水
并臘月水亦好可用井水如多可用隔宿入水浸一

夜来日只用上澄清水染花頭用澄下脚可合紫染花蒂并雜用槃嘗著紅藍胭脂製造一卷今畧繁于斯

茼麻

檾蕡茼聚類一也清沈李龍食物本艸會纂云茼實一名檾麻即今貝母爾雅茼貝母圖經檾子本艸名茼（与檾同）實此貝母茼麻俱名茼故沈氏誤耳存齊爾雅翼云檾枲屬高四五尺或七八尺葉似苧而薄實如大麻子今人績以為布及造羅索說文云檾枲屬引詩衣錦衣或作蕡（唐本注云一作蕢字）又作茼音與頃畝之

頃同又云褧縈也引詩衣錦褧衣示反古作顈音犬迥反而字書苘或作苘然則縈王禎農政全書作縈麻說文云縈枲屬顈苘褧顈苘一物也湖州府志苘麻作絅麻今詩用此褧字說者引玉藻禪爲絅絅与褧同以爲衣裳用錦而上加禪縠爲以庶人之妻嫁服則与許氏說異中庸曰衣錦尚絅惡其文之著也

大青　小青

醫學正傳云藍葉即大青張璐逢原云藍實乃大青之子知是藍大青乃一物然別録強別大小青二條耳今舶商謂菘藍曰江南大青謂蓼藍曰浙江大青

蠡實

一名荔挺顔之推家訓云月令云荔挺出鄭注云荔挺馬薤也說文云荔似蒲而小根可為刷廣雅云馬薤荔也通俗文亦云馬藺易統通卦驗玄圖云荔挺不出則國多災蔡邕月令章句云荔似挺高誘注呂氏春秋云荔草挺出也然則月令注荔挺為艸誤矣河北平澤率生之江東頗有此物人或種於階庭但呼為旱蒲故不識馬薤講禮者乃以為馬莧堪食亦名豚耳俗曰馬齒

天名精

一名癩蝦蟇艸莫人多識者桀按穆仲淳筆記云過冬青一名地菘即荔枝艸正名天名精取五六枚同鯽魚煮熟去艸及魚食汁治瘰癧按宋趙德麟侯鯖録荔枝一名癩蝦蟇艸四季皆有之面青背白麻紋壘〻奇臭者是又按陳實功外科正宗痔瘡門中亦用癩蝦蟇艸一名荔枝以下形狀全襲侯鯖録之文知是癩蝦蟇艸則天名精矣

蘆

揚升菴丹鉛録云說文曰葦之未秀者曰蘆徐鉉曰未秀言尚小也又曰葦之未秀者曰葭又曰菼萑也

古篆作薖淮南子作蔏易說卦萑葦注薖也今文作
荻又曰葦大葭也爾雅葦醜芀言其華皆有芀秀遇
風則吹物如雪其聚地絮詩行葦注葦初生名葭如
稍大為蘆長成乃名為葦說文解菼字云萑之初生
一曰薍一曰鵻色如鵻在青白之間詩大車注菼鵻
也八月萑葦注初生為菼長大為薍成則名萑又名
鵻一物四名郭云菼似葦而小又云蒹似萑而細是
蒹小於萑〻小於葦字說曰蘆謂之葭其小曰萑荻
謂之蒹其小曰葦其始生曰菼又謂之薍〻強而
葭弱荻高而葭下菼中赤始生末黑〻已而赤故曰

三十一

葭其旁行牵操盤互故曰蘆陳承之本艸圖經曰蘆葦也葦卽蘆之成者蒹似萑而細長江東人呼為蒹薍者謂葭為薍似葦而小中實江東呼為烏蓲音丘者或謂之荻至秋而卽謂之萑其花皆名芀其萌筍皆名虇若然所謂蘆葦通一物也所謂蒹今作薕者是也所謂葭人以當薪爨者也今人罕能别蒹葭与蘆葦又北人以葦与蘆為二物水傍下湿所生者為葦其細不及指人家池圃間所植者爲蘆其幹差大深碧色謂之碧蘆亦難得

麥門冬

一名禹韭清異録秋花譜云苗如鹿葱有節如籜
莖末發花如牽牛而小青碧熒熒藝者畜水於盆濡
其根抵淪漪照影水仙之流或作雨久因其性近水
也李時珍以吳普本艸併入麥門冬誤矣

萱艸

羅願爾雅翼云詩云焉得諼艸言植之背諼忘也衛
之君子行役爲王前驅過時不反其婦人思之則心
痗首疾思欲暫忘之而不可得故願得善忘之艸而
植之庶幾漠然而無所思然世豈有此物也哉蓋亦
極言其情說者因萱音之与諼同也遂命萱以為忘

三十三

憂之艸葢以萱合其音以忘合其義耳然忘艸可也而所忘憂〻之一字何從出哉此亦諸儒傅會之誤也說文云藼令人忘憂艸也引詩安得藼艸又作諼及萱而稽叔夜養生論云合歡蠲忿萱艸忘憂博物志因以為中藥之例崔豹云欲忘人之憂則贈以丹棘丹棘一名忘憂皆因解詩者之言而廣之爾

葵

通雅云古謂菜為葵晉以来曰菘今謂之菜古以葵為菜之良品故宗懍歲時記云葵為百菜之王槃按胡承之珍珠船云葵之種類不一有丘葵廣雅曰蘬

丘葵也有胡葵廣志曰其花紫赤有冬葵陶隱居曰以秋種葵覆養經冬至春作子謂之冬葵本艸圖經曰苗葉作菜茹更甘美管子曰桓公北伐山戎淂冬葵布之天下是也有蜀葵爾雅所謂菺戎葵也郭璞曰如木槿葉戎葵蓋其所自因以名之花有五色有紅者又號一丈紅又有黄蜀葵与蜀葵頗相似葉尖狹多刻缺夏末開花淺黄色蕊心下作紫檀色本艸衍義云與蜀葵别種非爲蜀葵中黄者也有錦葵花小葉圓有終葵一名落葵一名天葵一名繁露一名承露一名藤葵爾雅所謂蔠葵蘩露是也郭璞云大

三十四

楓

莖小葉紫黄色陶隱居云人家多種之葉惟可飪鮓子紫色女人以漬粉傅面爲假色俗呼爲胡燕脂蜀本圖經云蔓生葉圓厚如杏葉子如五味子生青熟黑所在有之食療曰其子今面鮮華可愛取蒸烈日中曝乾按去皮取仁細研和白蜜傅之甚驗博物志曰人食落葵爲狗所齧作瘡則不差有龍葵本艸唐本注曰即關河南謂之苦菜者葉圓花白子若牛李子生青熟黑但堪煮食不任生噉孟詵曰其味苦按去汁食之食醫心鏡云龍葵作羹粥食之並淂圖經云惟北方有之北人謂之苦葵葉圓似桃風而無毛

有菟葵爾雅曰莃菟葵郭璞注曰頗似葵而小葉形
如藜有毛汋淡之滑廣志云菟葵瀹之可食本艸唐
本注曰苗如龍芮葉光澤花白似梅莖紫色煑汁極
滑堪食劉禹錫所渇動搖春風者也有荊葵一名芘
芣爾雅曰荍蚍衃是也郭璞注曰似葵紫色陸璣曰
似蕪菁華紫綠色可食微苦有錢葵叢低又一種千
葉可愛有鳧葵馬融傳曰桂荏鳧葵葉圓似蓴生水
中一名水葵有蒲葵可食葉似葵而大中作扇謝安
取蒲葵扇中者捉之是也有露葵顔氏家訓曰蔡朗
父諱純遂呼蓴菜爲露葵王維詩曰松下清齋折露

三十五

葵意謂帶露之葵不指蓴菜蓋蓴菜非輞川所有采
玉諷賦曰烹露葵之羹曹植七啓曰霜蓄露葵語並
在蔡朗前亦不指蓴菜有楚葵即水中芹菜有澤葵
即莓苔鮑昭蕪城賦澤葵依井是也齊民要術又有
鴨脚葵紫莖葵白莖葵春葵秋葵余按葵類雖多鮮
不堪食古人重之故豳風七月烹葵周禮醢人饋食
之豆其實葵菹儀禮贊者一人取葵菹以授主婦公
儀休食葵而美魯監門女嬰謂馬佚食園葵嵗利亡
半魯漆室女謂馬佚踐園葵使嵗不厭葵味崔寔曰
六月六日可種葵中伏後可種冬葵九月作葵菹乾

葵潘岳閑居賦菜則緑葵含露齊周顒荅王儉曰緑葵紫蓼荆楚歳時記曰仲冬菜經霜蕪菁葵等雜菜乾之並爲鹹菹齊民要術有種葵法甚詳又謂葵三十畝作頃穀又爾雅翼云葵爲百菜之王味尤甘滑今人絶不食此是亦鮮種之不知何故余也葵藿之姿意將訪諸老圃廣藝茲品以當粱肉

瞿麥

陳眉公云千瓣者名石竹單葉者名洛陽又清潘穉峰百花詩題注云單瓣者石竹千瓣者洛陽二說相反槃按石竹洛陽元是瞿麥而瞿麥後漢時藥中既

有之單瓣千瓣皆有然原自野生之種也所謂洛陽
蓋即藝植之種耳故其花姿鮮妍與野花幽淡迥異
譬如都鄙之風格殊雅俗乃呼其濃麗穠艷者為洛
陽也誣以花之重單折之者謬矣又按李瀕湖云人
家栽者花稍小而嫵媚有細白粉紅紫赤斑爛數色
俗呼為洛陽是亦一證也通雅謂石竹洛陽非一卻
誤矣

葶藶

董子繁露曰葶藶仲夏枯禮記月令四月靡草薺死
鄭注薺葶藶類井田昌胖實永中人据此說以俗所云狗

薺爲是今按狗薺味辛苦而四五月間枯蓋苦葶藶耳

連翹

王叔和以連軺爲連翹根成無已以爲連翹房不知何據槃按本艸連翹一名軹爾雅疏亦作軹因竊念軹軺字互相近是魚陰之差或又漢晉際别有連軺之目耶尚竢浩博之士

藍

庶物類纂云機謹按藍之種類多矣諸說不正時珍斷而爲五種分之亦未詳今搜索諸子之解且享保

之末船商攜来生料之大青二種種植之嘗試之分明辨認矣爾雅所謂葴馬藍郭璞注云今大葉冬藍也蘇頌圖經本艸有菘藍可為澱亦名馬藍爾雅所謂葴馬藍是也又揚州一種馬藍四時俱有葉若蕒菜土人連根採服治敗血宗奭云藍實即大藍實也謂之蓼藍者非是乃爾雅所謂馬藍者解諸藥毒不可闕也實與葉兩用時珍云菘藍葉如白菘馬藍如苦蕒郭璞所謂大葉冬藍俗中所謂板藍者又解甘藍云此亦大葉冬藍之類也按胡洽居士云河東隴西羌胡多種食之漢地少有其葉長大而厚煮食甘

美經冬不死春亦有英其花黄生角結子其功與藍相近也花鏡云大藍葉如萵苣出嶺南又漳州府志云青澱即靛也以藍爲之有馬藍其葉大今大青有塊藍其葉小今稱小青據此數説則爾雅之葴即本艸之馬藍大葉冬藍菘藍板藍大藍甘藍皆一物而葉有大小花有紅黄此之吳藍蓼藍則葉大故有馬藍大藍菘藍板藍等之諸名冬不死故名冬藍有甘苦之二種指其甘而可食者爲甘藍猶葶藶之有甘苦陳藏器所謂甘藍此是西土藍也葉濶可食是也故今斷以大青為本名以諸名為別名

蕳茹

高士奇松亭紀聞云離婁開花如雞子殼中含雙蕊色如蓮辦嬌艷可愛一名蕳茹此與綱目所說更殊

附子

宋趙與旹賔退録載東蜀楊天惠附子記頗詳本艸綱目嘗畧載方此藏物理少識附子條中通云底平尖正者少皆刻木盒以鹽浸奧而安木盒中印造之又元陳元靚事林廣記云假子以川烏頭去皮爲末糯米薄糊便入摸匣印成槃曩淂清人吕宏昭所録附子釀法一篇即記左方春分以前秋分以後掘采附子水

洗日乾乾定鹽藏器中（一層鹽一層附子）經二七日許（鹽氣透內中為度）撈出再清水洗濯拭去水氣鋪甑中湯蒸一過（湯氣徹中為度）直納木桶內蓋定密封宜避風日淹釀凡二三七日而後發蓋盡生麴花（按初一二回不精手法則不生白衣）乃以禾稈穀皮等灰爲衣慢風日中晾乾數日俟其堅實收蓄儻遇雨日陰雲則必腐壞矣

射罔

李贄疑耀云兩粵溪洞之蠻以毒藥傳弩矢（即射罔毒）射人者俗語曰綿藥余初不解其義及讀揚子方言凡飲藥傅藥而毒東齊海岱之間謂之眠乃知綿藥當

作眠藥也

射干

通雅云射干烏翣蓋二種也烏扇烏吹烏蒲鳳翼鬼扇扁竹仙人掌紫金牛野萱花草姜黃蘧時珍收爲一物土宿云射干即今扁筑也智按扁竹乃紫胡蝶苗似鹿葱而濶四月花六出紫碧色結房如拇指陳藏器引入所種鳳翼而實之日華曰根如良姜蘇頌曰葉類蠻姜狹長張踈如翅則似碎骨補此或荀子阮公所云好生高崖已與紫胡蝶艸別矣按廣東新語以莊子所謂烏足之葉爲胡蝶花當以鳶尾烏翣鬼扇爲一物扁竹野萱

花為一物俱曰射干偶同名耳

芫花

醫賸載杬有二種其一藥用芫花爾雅所謂毒魚是也其藏卵果者齊民要術作杬子法所用是也而郭注爾雅云杬大木子似栗生南方皮厚汁赤用藏卵果顏師古注急就篇引郭注云此說誤耳其生南方用藏卵菓者自别一杬木乃左思吳都賦所云緜杬杶櫨者非毒魚之杬也顏注明確如此李東壁不讀急就顏注於芫花條載煎汁藏果之說抑失耳近来朱錫鬯彝尊著釋杬一篇辨坊木爾雅爲杬之訛徵

四十

引極博猶且以毒魚藏果爲一杭亦失於不檢矣

莽艸

此方嘗以橉字為是按和名抄引唐韻橉香木也而乃充莽艸（橉與棧同音箋香木名集韻作醆）今按清邵元世及徐子靈皆以大蘹香爲是又天明壬寅歲中山人照喜名者来我薩府採莽草子製以稱大蘹香云是清全魁周煌莽爲冊使于琉球時淂之法製又按和蘭藥書載八角蘹香圖其上標刻画䑕莽及橉兩字是以莽艸子爲大蘹香無疑蓋由乎風土唯其香氣有優劣耳

鉤吻

本艸綱目載鉤吻野葛一也槃按此本自兩種薟其毒相齊因鉤吻一名野葛而釋以蔓艸蔓者薟卽野葛也鉤吻者其葉如芹而花黄也故又曰菫蘄芹相同綱目未言及焉者何案淮南子云蝮蛇螫人傅以和菫則愈高誘注野葛卽鉤吻也張仲景金匱要畧云鉤吻其葉似芹葉葛洪抱朴子云鉤吻與食芹相似張華博物志云鉤吻艸與菫菜相似鄭樵艸木志畧云菫花者殺人唐武后寘諸食中以毒蘭氏暴死者薟此種也晉語謂置菫於肉者薟亦此也王燾外臺

卌一

治

秘要云黄堇又鉤吻與食芹相似潜確類書云鉤吻與食芹相似時珍謂堇黄花者殺人而不知爲鉤吻不亦踈乎

牆蘼 附牆蘼露

李治古今黈云張祜詠薔薇花云曉風抹盡燕支顆夜雨催成蜀錦機當晝開時正明媚故鄉疑是買臣歸薔薇花正黄而此詩專言紅薔此花故有紅黄二種今則以黄者爲薔薇紅紫者爲玫瑰云槃案後世薔薇之族尤衆其花大小單重深紅皎白正黄粉紅紅白班斕諸色熒煌錯然而其中以月貴爲貴廣東新語

云一名月記一名月月紅青莖長蔓硬刺細葉而花英層疊紅厚如內應月應潮開如月事不爽木香花白清芬可愛玫瑰方莖繁刺花多紅或有白二種見扶搖花鏡荼蘼花黃王路花史引格物論云酴醾色黃似酒故加以酉字按香宇外集云黃魯直詩云名字因壺酒注云本酒名花色似之故取以名酒故韓持國云每恐春歸有餘恨典刑元在酒盃中劉彥冲云只恐春歸有遺恨典刑猶在蜀醪中皆非也此條本作荼蘼乃因花以名酒耳如李太白云鵞兒黃似酒亦因鵞兒黃以名酒也金櫻葉小花大而多花紅月季四時花鬬雪紅耐寒而花佛見笑花白而最大野薔薇花小而白或有淺紅以上本艸綱目載又嘗有蘭人所傳薔薇露按南懷仁西方畧記云有製藥一家專煉藥艸之露如薔薇露

四十二

之類特取其精華而棄其渣滓則用藥寡而得効速不害脾胃而漸漬消除中國嘗有用此法者如生紫蘇煉爲露置酒中少許飲下則寒氣頓除而身生快又劉侗景物畧云萬曆辛巳歐巴國利馬竇入中國始到肇慶其友鄧玉函函善其國醫言其國劑草木不以質咀而蒸取其露所論治及人精微每嘗中國草根測知葉形花色莖實香味將遍嘗而露取之以驗成書未成也卒于崇禎三年四月二日乃知今之水火鼎之法葢自此時始入中國又王路花史引香譜云大食國薔薇花露五代時藩使蒲何散以十五

瓶来貢按清尤侗外國竹枝詞注歐羅巴國中玫瑰花最貴取蒸爲露可當香藥

王瓜

禮記月令四月王瓜生鄭注王瓜草挈也今月令云王萯生夏小正王萯莠呂氏春秋作王菩未聞孰是疏云王瓜草挈曾本艸文今月令王萯生者此云王瓜生月令廣義云王瓜菝葜也謂之瓜者以根似之也陶隱居云以爲菝葜殊謬矣鄭樵亦云鄭玄以爲菝葜誤景日昣說嵩云土芋本艸名黄獨俗名土苣爾雅爲菟瓜卽土瓜也月令謂之王瓜此說亦未必詳明本

艸經所云王瓜即土瓜

黄環

沈括補筆談云黄環即今之朱藤也天下皆有葉如槐其花穗紫色如葛花可作菜食火熟亦有小毒京師人家園圃中作大架種之謂紫藤者是也實如皂莢蜀都賦所謂青珠黄環者即此藤之根也古今皆種以爲庭檻之飾今人採其莖於槐幹上接之僞爲矮根其根入藥用能吐人

防已

古人以防已二之曰漢防已曰木防已今原其所淵

源陳藏器據弘景集註以爲苗根之謂本艸蒙筌本經逢原並證之蘇頌勝者爲漢劣者名木蘓恭不任用者爲木本艸原始亦本此失仲景氏之於醫藥尤至精微矣烏舍優取劣哉按木防已元是本名防已乃藤屬其質木強是以云耳猶木通之木字其冠漢字者係仲景以後御覽引本艸經云防已生漢中故後世謂之漢防已是蜀椒辰砂之類故思邈千金陟釐丸方中云漢中木防已是其證也

羊桃

吳震方嶺南雜記云羊桃一名三歛子一名五歛子

以其觚稜而分也色青味黄甘酸内有小核能解肉食之毒有人食猪肉咽喉腫病欲死僕飲肉汁亦然人教其取羊桃食之須臾皆起又能解蠱毒嵐瘴土人蜜漬鹽醃以致遠屈大均廣東新語云羊桃一名三斂子亦曰山斂即五斂子之三稜者耳俗訛稜爲斂

千歳虆

郭璞注爾雅陸璣詩疏蘇頌圖經元化草木效皆以葛與藟析爲二物或以藟爲千歳虆按潘岳仁寡婦賦曰顧葛藟之蔓延兮李善注藟猶蔓張揖廣雅藟

藤也詩曰葛藟纍纍又葛藟莫莫是亦謂葛之蔓延也而亦若山虆帍虆蓬虆千歲虆陵虆陰虆推虆此皆蔓艸也又按虆藟通用廣韻虆藤也知是藟虆虆三字皆藤蔓之稱古人或以葛藟二之者誤矣

溪蓀 菖蒲注

李時珍云昔人云菖蒲難得見花非無花也應劭云菖蒲放花而唯生溪澗者名溪蓀不言以發花者為溪蓀檗按李衛公平泉艸木記有芳蓀詩自注云芳山谿中謂之谿蓀其花紫色又寄芳山孫鍊師詩云石山谿蓀發紫茸陶隱居乃云東間谿側有谿蓀者

根形氣色極似石上昌蒲而葉正似蒲無脊俗人誤呼此爲石菖蒲詩詠多云蘭蓀正謂此也又案抱朴子云昌蒲須淂石上一寸九節紫花尤善盇亦溪蓀耳

水萍

爾雅云萍蓱其大者蘋毛詩義疏云其麤大者謂之蘋小者曰萍說文云萍無根浮水上者也埤雅云常與水平周禮萍氏注云萍之艸無根而浮取名於其不沈溺也是萍小於蘋而浮于水面者之總稱也楊雄方言云江東謂浮萍爲薸埤雅作苹或作瓢

蘋

爾雅云萍蓱其大者蘋説文云蘋本作薲大萍也箋云蘋之言賓也隱公三年左傳蘋蘩薀藻之菜可薦於鬼神可羞於王公時珍所釋乃本于此而以田字艸爲是悞矣田字艸萍之尤小者而不復可食焉蘋之狀似荇而大平葉長莖隨風而游賓乎水面其根則在水底味甘可食近江湖中及處々江河之間或有之或呼曰鼈鏡聖濟惣録云水鑑亦當

蓴

綱目以露葵爲一名誤矣詳見于葵條

四十六

水藻

詩周南于以采藻陸璣疏藻生水底有二種和名鈔引崔氏食經沈者曰藻浮者曰蘋源順釋之云毛一名毛波或云毛波卽沒葉藻之爲艸沒而生于水故義取於此圖經藻生水中孔安國尚書傳藻水艸有文者以喻焉据以上諸說攷之藻是生水底而不浮者總謂之藻釋本艸者以水藻爲一種之艸不撿之失耳集韻音爪或作藻繅干祿字書俗作蔘

石帆

一名石栢見于虞衡志一名水杉見通雅一名海檜

見老學菴筆記一名海松見物理少識一名鐵樹見閩書按鉄樹不一花史曰海桐花曰詢手鏡及七聚類藁曰六十年一開花是異植耳中山傳信録曰番蕉乃知四物同名今人或以分之數種今考之總一物録書者漫出筆端游戲而皆天然偶字也其葉如扁柏生于海中石上物理少識曰其老幹謂黑珊瑚一種其葉有如裙帶菜者肇慶府志所謂海苔樹也一名落樹見廣東新語

五穀

五穀之稱諸書互異今記其一二于左以竢浩博之判馬禮月令云黍稷麻麥豆鄭注疾醫亦同鄭又云

黍稷麥稻菽穀粱傳云禾麻粟麥豆素問真言論云
麥黍稷稻豆趙注孟子亦同朱注蓋本于趙氏又藏
氣法時論云麻麥稷黍豆又五常政大論云麻稷麥
稻豆王注離騷亦同靈樞五味篇云麻麥秔米黃黍
大豆范子計然云五穀者東方多麥南方多稻西方
多麻北方多菽中央多禾天工開物云五穀則麻菽
麥稷黍獨遺稻者以著聖賢起自西北也

九穀八穀百穀

周禮註九穀黍稷秫稻麻大小麥大小菽灸戴子云
黍稷麻麥稻粱苽二豆段成式雜俎云黍稷稻粱三

論

豆二麥鄭玄注
穀而云列星圖云
稻、黍大豆、小豆、
者黍稷總名稻者
穀各二十種爲
百穀楊泉物理論同舜
薏苡
玉機真藏。云真
此雷斅所云糤
阿芙蓉

三穀黍稷稻周礼粱稻菽格物論物理論
四種黍稷稻麥周礼
五穀另記
六穀稌黍稷粱麥苽周礼黍稷
稻粱麥菽通雅
七穀黍稷稻粱大小菽通雅
八穀黍。稷。稻。粱。麻。麻。菽。麥。鳥
麻。石中星代
九穀黍。稷。稻。粱。二麥二菽麻。周禮通雅
黍稷秫稻麻、大小豆大小麥周礼

九依云粱三爲然

黍稷麥稻菽穀粱傳云米麻粟麥豆素問眞言論云
麥黍稷稻豆趙注孟子亦同朱注蓋本于[illegible]又藏
氣法時論云麻[illegible]麥
稻豆王注離騷[illegible]黍
大豆苊子計然[illegible]方
多麻北方多菽[illegible]菽
麥稷黍獨遺稻[illegible]
九穀八[illegible]
周禮註九穀黍[illegible]云
黍稷麻麥稻粱[illegible]三

豆二麥鄭玄注周禮云八穀無秫大麥而有粱苽依九穀云而列星圖云黍稷稻粱麻菽麥烏麻小學紺珠云稻、黍大豆、小豆、大麥、小麥、粟、麻羅存齋爾雅翼云粱者黍稷總名稻者溉種之總名菽者衆豆之總名三穀各二十種爲六十蔬菓之屬助穀各二十種凡爲百穀楊泉物理論同舜典註穀非一種故曰百穀

薏苡

玉機真藏。云真心脉至堅而摶如循薏苡子累累然此雷斅所云糲米非時珍所謂薏苡也

阿芙蓉

菽

董西園字魏如乾隆中葉人醫級云鴉片乃外方之物有反化之妙閩粤多藉以慫慂故爲禁物蓉參丸方中記知是曼商不能陽釁之旦載之因想近来呉船将来者價翔而品低蓋亦奸徒之假造已

豆

清顧炎武日知録云戰國策張儀説韓王曰五穀所生非麥而豆民之所食大抵豆飯藿羮姚宏注曰史記作飯菽而麥下文亦作麥古語但稱菽漢以後方謂之豆今按本艸有赤小豆大豆之名本艸不皆神農所著越絶書丙貨之户曰赤豆爲下物石五十已

已貨之戶曰大豆爲下物石二十越絶書亦非子貢所作漢書楊惲傳種一項豆落而爲萁

神麴

藍溪先生爲余言蓋神麴之用方藥出于肘后千金等書而未知指何麴爲神也宋嘉祐本艸始見其主療（時珍綱目引藥性論非也）至其造法則亦不載其如何焉後魏賈思勰齊民要術特詳及于此古方所用豈此物與但恨造法繁瑣難通曉故李氏綱目退而不取以葉夢得水雲録法收集解中此法李氏以前王好古輩已用之後世依遵無復異論（斯邦古法多以麩和蔘汁作之見藥經太素藥

性論福田方然未知其所原也余家自先世造此亦依葉氏法唯用大麥麪而不用白麪余因考諸本艸小麥專養心肝除血分客熱治漏血唾血諸證大麥益氣調中實五藏化穀寬胸夫神麴之用專在於化穀消宿食則用大麥者洵爲允矣又攷本艸小麥作麴則消穀平胃别録蜀本云然而其作麪者或云擁熱小動風氣藏器或云有熱毒蘇頌孟詵並云至其大麥作麪則云平胃消食蘇敬又云爲麪勝小麥陳士良且如作其麴亦云消食和中李時珍本性功用既能調中化穀而其作麪作麴又能如此則用大麥益爲當矣先人捨彼取此其意豈在於

斯邪舊聞正保中明醫程宗孜投歸住于肥前唐津其造神麴乃與余家法同抑亦有所見于此邪聊述其說諗弟侄爾

醋

魏名臣傳云醋名苦酒醋即醶也醋本作酢禮記注酢截也酪注亦醋截也千金白截漿即酢也外臺作白截酒程衍道注截酢漿也又龐安時傷寒總病論云苦酒米醋也陶弘景云醋以有苦味俗名苦酒按方言苦快也此說淂之矣陶以苦味釋焉者恐違

屠蘇酒

劉君廉夫嘗著屠蘇考一篇尤詳故畧于斯

逡巡酒

元汪鵬山居四要載逡巡酒用白糯米三升淘淨水六升煑成稠粥夏冷春秋溫冬微熱入曲半斤餳稀三兩酵二兩麥蘗一撮官桂胡椒良姜細辛甘艸川芎丁香各半錢爲細末和粥內攪勻冬五日春秋三日夏二日即熟此方與本艸所載全別故今録此

醴

李贄疑耀云曾元王爲穆生設醴說文一宿熟曰醴今人罕得此法元宋正獻集（名本字誠夫廣陽人）有鷄鳴酒賦

序曰將陵李懷德甫家善釀一宿酒法以米三升用水以椀許者倍乃粥之入麯八兩酵半麴以飴爲酵穀四之一加麥蘖少許和之適宜造於燈時比曉熟矣味甘且醇劇飲不醉豈即醴乎

白酒

內則酒有清白鄭玄注白事酒昔酒也又云昔酒今之酋久白酒所謂舊醳也周禮酒正鄭白釋文即白醝酒也儀禮聘禮醙黍注醙白酒按廣韻同集韻黍酒田藝衡云事酒醳也初造之酒一名或作苦酒又名醇酒昔酒久酒舊醳也又酋繹酒也久則水上見而糟少故

酒熟曰酋即昔酒也今之白酒久熟者病源論蚘蟲飲白酒食生栗等所成也蘇軾詩白酒無聲滑瀉油王永輔惠濟方用生白酒此盞酒母或濁白酒之屬此長沙所用白酒或是耶然其製未詳焦竑經籍志云梁有白酒竝作物法十二卷白酒法一卷筆乘載胡節還白酒一卷盞是已此書亡佚既久矣今原其造法楊州府志載白酒各州縣皆有州州麯三日可成味極甘美少入水曰水白酒冬月煮過罨之曰臘白酒又時珍食物本艸云白酒以蓼與麪爲麯釀糯米爲酒母以水隨下隨飲初下味嗽而甘隔宿味老而醋矣此皆古昔

之遺法歟未可知也又按清虞兆漋天香樓偶讀引梁武帝詩云金杯盛白酒正言白酒之美又靈樞經筋篇以白酒和桂云且飲美酒或云是白酒薄酒也因攷諸葛亮傳薄田又通作白田後漢書薄屋史記作白屋知是薄白古互通用此白字𤫊瓏澄白之義或讀為薄酒者廣子有所攷焉吳從先小窻別記引魏畧曰白酒一曰清酒是亦一證也又思邈千金方作白截漿王燾外臺方作白截酒截即醋也今茲録考證一二尚俟閎博

藍尾酒

郎瑛七修載藍尾酒藍尾二字洪容齋引白樂天之詩及燕語等言以解二字俱无下落雖得後飲之意秖爲末座飲之在後也自又曰唐人亦不能曉殊不知不識其事當求其字藍澱也說文云澱滓淀也滓淀者渾濁也據此則藍尾酒乃酒之濁脚如盡壺酒之類故有尾字之義知此則樂天三盃藍尾酒一楪膠牙餳歲盞後推藍尾酒春盤先勸膠牙餳則少蘊所謂酒匝未俱通矣

五辛菜

辛者葷也葷或謂之薰見史記。禮記葷注薑及辛菜荀

蒜椒爲之加以佐黄柑酒者

子志不在于食葷注葱薤也荆楚嵗時記注引周處風土記云元旦造五辛盤正月元旦五薫練形又史記獯鬻作葷鬻風土記云五辛葱蒜韭蓼蒿芥也槃按蓼蒿者一艸之名非蓼與蒿然無蓼蒿者疑蓼蕎之誤也（蓼蒿見薤附録）爾雅翼曰西方以大蒜小蒜與渠慈蒜茖葱爲五葷字典五葷綱目同但慈蒜作慈葱耳月令廣義云五辛蔟葱韭薑絲芥（楊誠齊詩作孫芥）辣也圖經云五辛韭薤葱蒜薑也李時珍云五辛葱蒜韭蓼蒿也月令通攷有蘿蔔品字箋有蔓菁以上諸說必有定準而又道家以韭蒜芸薹胡荽薤爲五辛佛典

五十三

月令廣義云春盤晉李鄂於立春日以蘆菔芹菜芽爲菜盤相饋齎人春日食生菜號春盤取迎新之意

楞嚴經以大蒜茖葱慈葱蘭葱興渠爲五辛令義解仝斯邦神祇服忌令吉田社大蒜小蒜韮葱蘭葱興渠深江輔仁和名本艸引兼名苑云興渠胡葱也謂之五辛又伊勢社大蒜角葱慈葱興渠蘭葱謂之五辛按田藝衡云立春日五辛盤今多用芥也取發新之意又按莊子云春月飲酒茹葱以通五藏也所謂辛盤蓋本于此楞嚴經云五葷熟食發淫生嗔增恚故釋氏戒之

菘

菘者即今四時食料之菜也按方密之通雅云古謂菜爲葵晉以來曰菘今謂之菜周舍章汝南圃史云

冬曰蹋菜春曰春菜又曰白菜夏曰菘菜秋曰葵菜又曰秋菜陸農師埤雅云菘性隆冬不彫四時長見有松之操故其字會意亦可爲證

堇

按堇斳蘄芹四字互用詩文王篇周原膴膴堇荼如飴朱紫陽孔穎達以爾雅之堇注之而又引晉語置堇於肉爲證晦菴云周原膴膴雖物之苦者亦甘升庵云林和靖云美土可愛惡味槃意詩既與可食之荼竝言則非毒物爾雅堇芨艸郭璞注烏頭也而又周原膴膴豈曷淂變於物性案顧夢麟詩經說約云

嚴云詩人稱周原之美當言宜稼宜蔬不應言其宜毒物毒物不可食何由知其如飴乎此說得之槃又按禮內則堇荁枌榆以滑之鄭注冬用堇夏用荁洪舜俞賦烈有椒桂滑有堇榆周禮醢人加豆之芹菹兔醢呂覽菜之美者有雲夢之芹爾雅芹楚葵宗懍歲時記云葵百菜之王味尤甘滑知是堇則芹所謂楚葵也晉語驪姬置堇於肉孔穎達注烏頭也史記注亦然或云鉤吻也槃按淮南子云蝮蛇螫人傅以和堇則愈高誘注和堇野葛毒艸也又鄭樵艸木畧云堇花者殺人唐武后寘諸食中以毒賀蘭氏暴死

者蓋此種也王燾云黄堇又鉤吻時珍云堇黄花者有毒殺人即毛芹也其釋晋語之堇以鉤吻者蓋本于此然恐陷于鑿矣

蘹香

按八角蘹香即鼠莽子詳録莽艸款下

苜蓿

香字外集云苜蓿漢志作目宿爾雅作荍蓿或萺蓿艸名或曰菜出大宿國漢使得之種離宫一名光風草今之鶴頂艸似灰藋秋後結實黑房纍纍如穄謂之木粟羅存齋亦云木粟鶴頂艸也鶴頂艸即藜也

槃按馮時可蓬窻續録云古稱藜杖藜即苜蓿陸儼山蜀都雜鈔亦有此文所云苜蓿即藜也又太平廣記引集畧記云禹錫亭東紫花苜蓿數畝唐愚士詩苜蓿垂花紫滿畦此盔藜子今人以爲苜蓿者似決明而細小豈其牧馬之艸耶

苦菜

顔師古匡謬正俗云本艸云苦菜味苦名荼艸一名游東生益州川谷及山陵旁淩冬不凋死陶公宏景注云疑此即今茗茗一名荼又令人不眠今淩冬不凋而嫌其止生益州益州乃有苦藏耳桐君藥録云

苦菜三月生扶陳六月華從葉出八月實落根後生冬不枯今茗極似此按此苦菜即詩人所稱誰謂荼苦荼音塗其狀全似苦菜而細葉斷有白汁味極苦陵冬不凋桐君所説正淂體狀近来諸人無識之者今呉蜀之俗謂苦菜者即爾雅所謂蘵黄蒢爾陶公雖知俗呼苦蘵爲苦菜而不識其苦菜之形以其一名荼乃將作茗巧説滋蔓秪增煩惑且本草説其主療疾病功力甚多苦艸豈有此効乎

甘藷

一名金薯即番薯按閩書載明萬曆甲午歲荒巡撫

金學曾從外番旬種歸教民種之以當穀食荒不爲災乃知金則假其姓耳按番薯嵇含艸木狀既載之其舊可知矣又按斯方元祿十年戊寅歳吾薩之屬島種子島始種之傳言中山人石嶺某者齎種於福州清陳世元金薯傳習録云薯可生食可蒸食可煮食可煨食可切爲米晒乾收按薯每萬觔晒乾三千五百觔零作粥飯可磨爲粉晒乾團爲餅餌其造粉之法取薯卵洗淨和水磨細仍以大缸貯水淘去浮渣做法同藕粉渣可飼豕將其粉作丸與彌珠細穀米即西國米又曰莎菰米無異作粉雖利但虧損民食似宜禁止因意今莎菰米蓋或是耶又有釀法煮餳之法文繁故不記

犀

詩碩人齒如瓠犀注犀瓜瓣也御覽引吳普本艸云瓜子一名瓣謝惠連祭古冢文云瓜表遺犀成式云瓜瓠子曰犀

菌

說文菌地蕈也玉篇蕈地菌也通雅郭璞曰江東名土菌曰馗厨孫炎曰地蕈亦曰地雞唐韻蕈音尋菌生木上菌踈云此大小異也大者名中馗小者名菌本艸或云地生爲菌木生爲蛾按蛾是木耳名北人曰蛾南人曰蕈王鏊姑蘇志云蕈即菌也此菌蕈互通用張華江南諸山郡大樹斷倒者經春夏生菌菌謂之椹按陸容菽園雜記云蕈字原作

甚土音之僞郭璞爾雅注云甚與揕同作甚者蓋木子張華按爾雅揕桑子也然爲蕈者不知何據嘗見本心齋蔬食譜作蕁蓋音通假借耳屈大均云厚者曰蕈薄者曰耳按凡菌無莖無禰傍于木而固著者皆謂之耳本艸謂耳曰蛾者象形也内則芝栭孔穎達云栭芝屬芝栭一物亦作檽鄭樵云五木耳曰檽又源朝臣順和名類聚鈔引四聲字苑云萸菌名郭景純解爾雅亦云栭芝屬又云茵芝一歲三華瑞草秦時四皓采芝亦蓋瑞艸乎知是芝栭茵即一物時珍以栭爲輭耳以芝爲硬菌殊不然也其曰雞曰㙡因其味似而名也時珍云南楚人謂雞曰㙡按㙡或作㙐音宗相

通又謂菌曰菰圖經云爾雅云蘧蔬注云似土菌生菰艸中故南方人至今謂菌爲菰亦緣此義也或作菇竹蕈謂之蓐蓐陳艸復生也潛夫論曰中堂生負苞負苞朽木菌也見丹鉛録

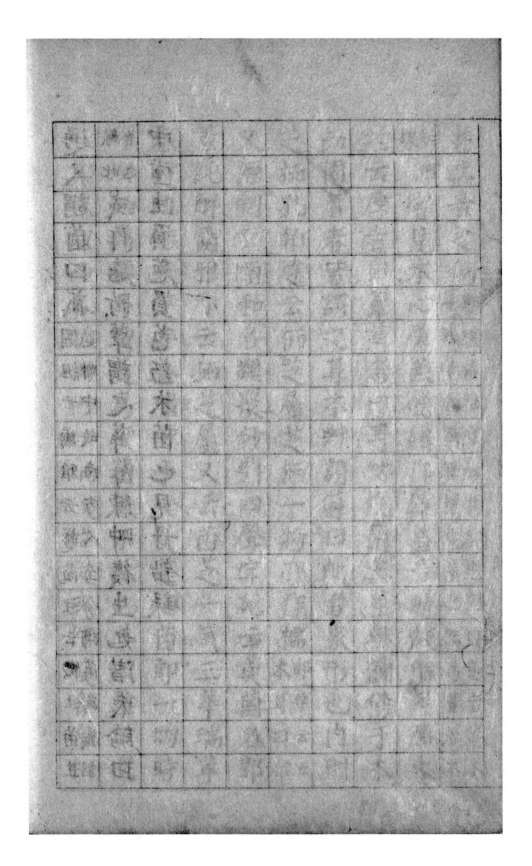

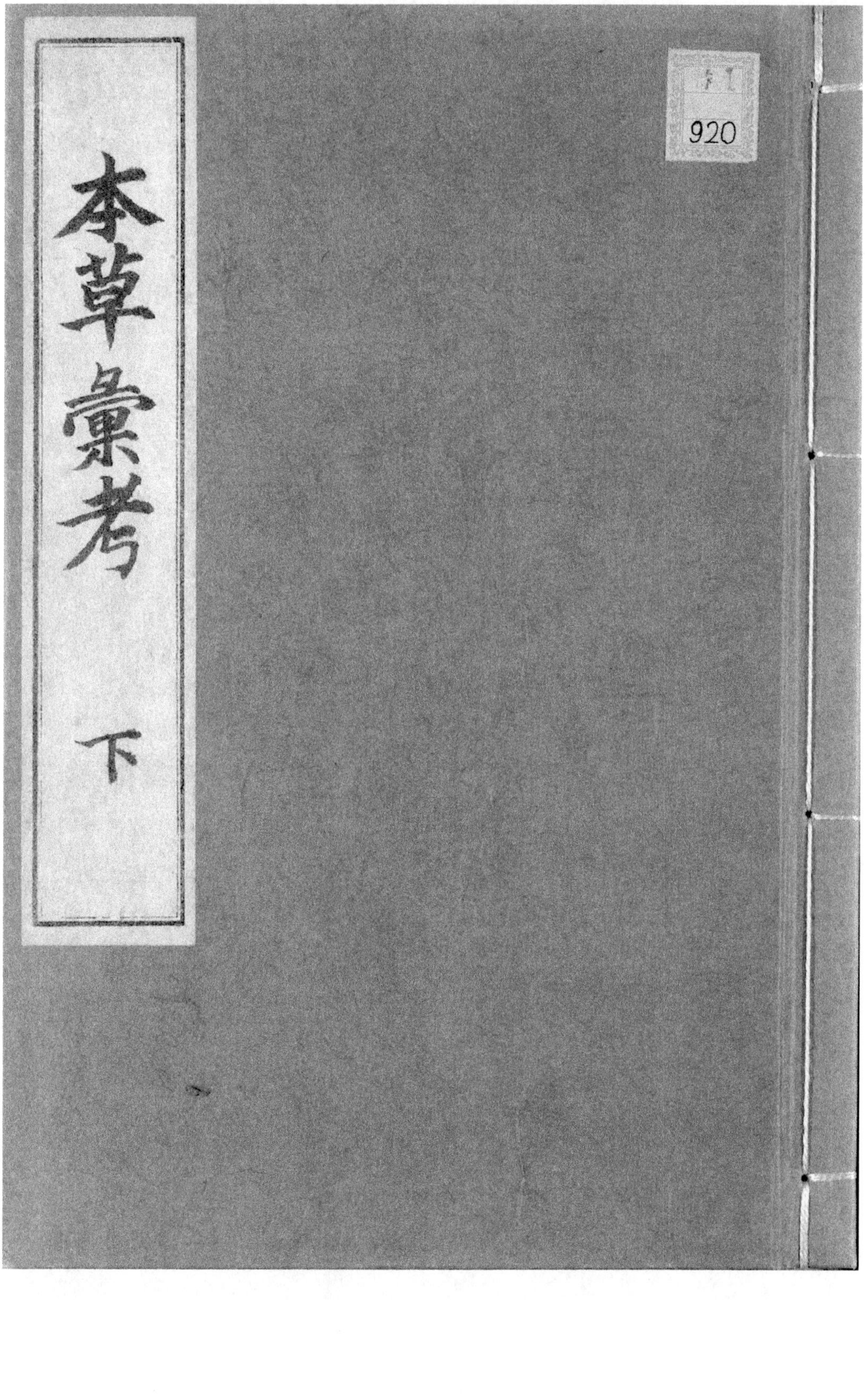
本草彙考
下
920

本艸彙考

下巻

本艸彙考下卷分目

本艸彙考下卷

曾槃士考輯
越通永季錫校

梅

瀛奎律髓載虛谷曰梅見於書詩周禮禮記大戴禮左氏傳管子淮南子山海經爾雅本艸取其實而已曰爾惟鹽梅曰摽有梅曰遵人八梅藤爲乾梅（疏者謂梅皆有乾濕）曰獸用梅曰五月煑梅爲豆實曰水火醢醢鹽梅以烹魚肉曰五沃之土其梅其杏曰一梅不足爲百人酸曰雲山之上其實乾腊郭璞注腊爲乾梅曰

梅柟似杏實酢曰梅實明目益氣不飢未以其花爲貴也惟詩山有嘉卉侯栗侯梅大戴禮夏小正正月梅杏杝桃始華一言卉一言華說苑越使諸發執一枝梅遺梁臣韓子顧左右曰惡有一枝梅乃遺列國之君乎由是考之則梅以花貴自戰國始西京雜記漢初修上林苑群臣各獻名果有朱梅紫花梅同心梅紫蒂梅則梅種之多特以花書又自西漢始

棠梨

朱彝尊曰下舊聞云按詩蔽芾甘棠毛公傳甘棠杜也鄭康成注北人謂之杜棠南人謂之棠梨爾雅杜

赤棠郭璞曰今之杜梨也樊光曰赤者爲杜白者爲棠陸璣曰赤棠與白杜同子有赤白美惡子白色爲白棠甘棠也少酢滑美赤棠子澁而酢無味通志甘棠謂之棠梨又有沙棠廣志云如棠味如李無核竊疑今蘋婆果即詩所云甘棠而俗呼沙果即沙棠呼檳子者乃赤棠也其曰棠梨者以花似棠實似梨合而稱之爾按曝書亭集釋棠文正同

海紅

焦氏類林云新羅國多海紅即淺紅山茶而差小自十二月開至二月與梅同時一名茶梅月令廣義十二月令按

留青日札云劉長卿有海紅花詩李太白詩注新羅多海紅今茶梅即小樣粉紅山茶本名海紅花以其自十二月開至二月與梅同時故曰茶梅又按委巷叢談云杭人言紛紜不靖曰海紅花薔海紅花乃山茶之小者開時最蘩鬧故借以爲喻据二書所說攷之海紅即斯方風俗誤呼山茶花者其實夏熟味酸正要所載正此物耳東壁不知海紅即茶梅以爲海棠其謬殊甚薔瀛仲亦未詳及之也

香海棠

元葉世傑草木子云昌州海棠有香故昌州號海棠

香國州治前有香霏閣每花一十餘葉香氣穠郁又時珍云蜀之嘉州者有香七修類稾云沈立海棠記謂其香清酷不言某地似可疑及觀宋真宗御製後苑雜花十章以海棠云清香逐處飄又云遊蜂逐遠去又王元之題錢塘海棠云江東移植在錢塘手植庭花滿縣香此又不特在昌州者乃知海棠之香如菊花有落不落者不可一概論之也槃按宋彥雲公詩集有香海棠詩云麗質春輝芳氣菲浣花溪上見猶希雨侵試羅薔薇露風動初開蘭麝衣白墮傾来偏易醒杜鵑啼徹亦忘歸飄残倍有銷魂處秪向韓

三

生袖裏飛又從來芳樹本多奇賸有繁馨出艷姿膏沐新妝紅粉色薰籠飜瀉錦機絲常疑薄霧和烟住最喜微風帶月吹惟願夢来皆作蝶夜深飛上最高枝

菴羅果

大和塔峰嘗有此樹今處處養其種按釋光譲艸堂雜録載菴羅果似桃而非桃似奈而非奈正合翻譯集所言相傳此樹唯本山定慧和尚入唐所将来然旭師則云此方所無意者彼土亦不多有今山僧言開山定慧移自五臺山五臺縣則在代州鴈門縣日本史云白雉四年小山吉士長

時熟

丹小乙上吉士駒聘于唐室原御田爲送使學士巨勢藥氷老人及學僧道嚴定慧安達觀等十餘人從之定慧齎其種歸者蓋即此詩也

林檎 發揮

一名來禽羅泌路史云往予嘗謂王羲之弄筆寫林檎爲來禽而世亦千年弗知反爲說曰果孰禽來而以爲俗儒之可笑類如此東方生曰朿朿爲棗而棗陽本棘陽也予以是知文士士棘祇棘擴之爲棗非避仇也

栘

四

枸類尤多然世識有佛手柑不識有佛手枸按周櫟園閩小記云閩南郊外二十里曰齊坑齊氏聚族其間旁有潭夾種桃花相傳唐陳處士隱地舊名道者巖前有枸一株根如斗結實如佛手柑指屈伸層疊有長五六寸者皮穰色味則皆枸也

君遷

升菴集云羊棗一名軟棗即君遷也按清景日昣說嵩云棗一種小圓而脆者名靈棗殊佳外一種軟棗蓋枸類也枸用此樹接培者多實小而圓紫黑色多子即孟子所謂羊棗形如羊矢故名也又案清何焯

是

義門讀書記云羊棗非棗也乃柹之小者初生色黄熟則黑似羊矢其樹再接即成柹矣余乙亥客授臨沂始覩之沂近魯地可攟也今俗呼牛嬭柹一名軟棗而臨沂人亦呼羊棗曰梗棗此尤可證柹之小者通得棗名不必以爾雅遵羊棗之說若邵武士人僞正義以羊棗爲樲棘之屬則甚謬此乃本艸所收酸棗也自出山石閒色赤味酸

橘

說文曰矞以錐有所穿也橘之從矞蓋或是也尚書厥包橘柚孔安國注小曰橘大曰柚漢史橘柚芬芳

五

注柚橙也而農經以橘柚爲一矣意古互兼稱耳又古之橘者卽兼今之柑然不言之柑也上林賦謂柑曰黄甘呉志李衡種柑橘千樹此柑字始見于此周處風土記云柑甘也橘屬滋味甜美特異者也劉翰云霜後甚甜故名劉基郁離子云梁王嗜果使使者求諸呉呉人予之橘王食之美他日又求焉予之柑王食之尤美時珍云橘實小其瓣味微酢其皮薄而紅味辛而苦柑大于橘其瓣味甘其皮稍厚而黄味辛而甘凮翁山云柑亦橘之類皮厚而粗點則知橘小於柑柑甘於橘則今所云香子柑則蜜甘也嘗覩

船來橘皮皆切成四花其中或有印記曰化州老井橘皮此品香氣清芬入藥尤良又有大陳皮者眞假不審疑是香橙枸櫞之屬弘景云橘皮須陳久者爲良王好古云以色紅日久者爲佳故曰紅皮陳皮此方云舊醫往々以柑皮爲橘皮今既皆爾按橘柑二皮主療相近故通用槃按斯方橘皮味苦澁彼邦橘皮味清苦斯方柑皮味甘苦是卽風土之所使然也今詳之斯方之柑皮乃適於彼邦之橘皮是以斯方前醫換彼邦之橘皮以斯方之柑皮亦有以也

櫟 槲 橡

鄭漁仲云櫟曰橡亦曰檞其實作梂曰皂斗曰橡斗然有二種南土多檞北土多櫟爾雅釋木云櫟其實梂詩秦風云山有苞櫟並此也其釋木云栩杼與唐風云集于苞栩並是柞木而陸璣誤謂是此耳橡實之類極多大體皆㮚屬也可食有似栗而圓者大小有三四種周禮籩人所謂榛實是也二三實作一梂正似㮚而大小有三四種爾雅所謂栵栭是也注云子如細㮚江東人亦呼爲栭㮚今俗謂之爲茅㮚猴㮚皆其類也或曰檞之實似櫟而小不可食藝衡云栩實本作樣从承聲或作梂即樣字之譌詳正字通今作橡小爾雅

柞實廣韻樂實通作象周禮掌染注象斗之屬染黑所謂皁物也因謂黑色曰皁又可染澹黄色爲書殼紙故稱象殼屹斗摯虞入南山飢拾橡實食杜甫客秦州采橡象自給故曰飢食楢溪橡梅聖俞亦云野糧收橡子狙公賦芧注芧橡子故子美又云天寒橡櫟隨狙公然食之令人禿髮山僧製之成粉亦可食

按今南部僞堅香澄橡子

荔枝

疑耀云荔枝之名諸書皆未詳其義扶南傳謂結實時枝弱蔕牢不可採皆以刀斧劙取其枝故以爲名

七

余按茘之樹甚高大惟樹抄結實最多故採者不能攀其枝多連枝斫之耳蔕牢之説殊不然也槃按屈大均云茘字從艹從劦不從刕劦音離劙也刕音恊同力也茘字固當從劦本艸謂茘枝木堅時須刀劙乃下今瓊州人當茘枝熟率以力連枝斫取使明歲嫩枝復生其實益美故漢時皆以爲離支言離其樹之支子離其枝枝復離其支也

龍眼

周亮功閩小記云核之初種經十五年始實甚小倍呼爲胡椒眼覓善接者鋸木之半去大實之幼枝接

歲　因

之至四五年又鋸其半接如前若此者三數次其實
滿溢倍于常種若一二接即止者形小味薄不足尚
也三接者曰針樹未接者野老我藩嘗所栽培龍眼
樹今既蕃植佐多山川其子每歲纍然而熟其甘亦如蜜
時未詳貯藏之法固使譯士某問之崎粵清客則呉
超程赤城者切傳之矣今所製本其法余今日偶在
藥園署不計淂觀其紀敝帚千金喜而弗措乃謄寫
而歸乃録之嘗問龍眼製法等因俱已知悉憶數年
前曾遊閩廣親見製造其花在春開放花謝結實俟
九月間外既老摘下晒乾上籠烘焙時用薑黃末拌

八

上久收不壞至內肉之厚薄乃地道之肥瘠故福建產者爲上廣東者次之雖以福建之種移植廣東次年改變肉薄實地道使然耳既承垂詢謹此奉覆程赤城具

餘甘

閩書云餘甘海物異名記菴摩勒果瑩如珠食之餘味始甘能錮蠱毒山谷以其先苦後甘名之曰敢諫子周櫟園書影云今人皆以橄欖爲餘甘駢雅餘甘之子如彈丸其核五稜世有圓橄欖耶餘甘自別一種何晫義門讀書記云餘甘實小核大不至吳中余

丑　柞　木

辛亥始獲嘗其鹽漬者栟子厚與栟榔並言之問之閩人亦不敢多食也槃按張萱疑耀云虞允文與人書有云南詔餘柑子一桶王元美宛委餘篇載餘甘子見臨海異物志謂與橄欖同一果及閩異物志陳祚暢著謂大小如彈子丸理如定陶瓜瓣按宛委餘篇作片初入口苦咽中甘與橄欖同味乃知正余里中所呼油柑子也元美未見遂云今天下饒橄欖絕無餘甘物之難博如此第柑當甘不宜从禾允文不誤或傳習誤耳東壁綱目渾入菴摩勒條蓋疎也

茶

九

字典云魏子翁集云荼之始其字爲荼如春秋齊荼
漢志荼陵之類陸羽盧同以後則遂易荼爲茶按漢
志年表茶陵師古注荼音塗地理志荼從人從木師
古注弋奢反又音大加反則漢時已有茶荼兩字非
至陸羽後始易荼爲茶按唐以前皆用芽茶而未嘗
用末茶逮唐末年始造末茶及于宋世末茶盛行茶
器亦悉備而研膏臘面密雲龍鳳諸團之法愈精其
後元襲胡俗民風一變又有玉磨蘭膏等制皆碾末
或和以酥又有香茶和龍腦等物煉成餅雖不及於
宋世之精制尚是其遺法而明太祖廢末茶事見何

茶腸

喬遠名山藏自此以来無復末團之制惟我東方文物典章一定不易若彼茶事亦尚存唐宋之舊故至茶之精制亦非華人之所及特以山城宇治殖制者爲最其中尚有數等之稱至煎葉產殖之地頗多以近江信樂茶爲勝品其它顯名者尤多按芽茶用法器具詳見流芳清灣茶話及無暢清風瑣言等

瓜

古稱瓜者葢今之甜瓜已按禮記爲天子削瓜郊特牲瓜祭論語蔬食菜羹瓜是也王禎云供果者爲果瓜甜瓜也易以杞包瓜詩七月食瓜又八月剝瓜又

齒如瓠犀又綿綿瓜瓞注大曰瓜小曰瓞夏小正五月乃瓜大戴禮同吳越春秋云盛夏之時人食生瓜起居道傍瓜子復生古詩瓜田不納履李下不正冠周書云王罷削瓜食皮文選浮甘瓜於清泉漢書邵平爲布衣種瓜賈誼新書云夜灌瓜日以美史游急就篇云棗杏瓜棣洪邁老圃賦云織女耀而瓜薦杜詩瓜嚼水晶寒唐史云青蠅集于瓜而又醫書載瓜子瓜瓣說文曰瓣瓜實也吳氏本艸云瓜子一名瓜瓣瓜蒂亦甜瓜也何孟春謂古稱者西瓜或以爲白瓜並皆非矣

西瓜

仝

艸木子云元世祖征西域中國始有種按胡承之珍珠船引宋文天祥西瓜吟云拔出金佩刀切破蒼玉瓶千點紅櫻桃一團黃水晶此蓋西瓜黃瓤者又宋徽宗有西瓜圖又按升庵云讀五代郃陽令胡嶠陷虜記嶠於回紇得瓜種以牛糞結實大如斗味甘名曰西瓜是西瓜至五代始入中國謂始於元世祖誤耳田藝衡云按西戎地漢燉煌郡唐置瓜州瓜大如斛因瓜以名州名也豈五代時方入中國耶

沙糖

沙糖本出於甘蔗東方朔神異經作⿰甘干⿰甘庶秳含艸木

齒如瓠犀又綿綿瓜瓞注大曰瓜小曰瓞夏小正五
月乃瓜大戴禮同吳越春秋云盛夏之時人食生瓜起居
道傍瓜子復生古詩瓜田不納履李下不正冠周書
云王罷削瓜食皮文選浮甘瓜於清泉漢書邵平爲
布衣種瓜賈誼新書云夜灌瓜日以美史游急就篇

乃知古中國但有蔵而無稚故
西國以貢於遠方所珍之矣遂唐大曆鄒和尚傳其法

（注：一八四、一八五葉展示一八二、一八三葉上的夾紙信息，特此加葉。）

廣記嶠於回紇得瓜種以牛糞結實大如斗味甘名
曰西瓜是西瓜至五代始入中國謂始於元世祖誤
耳田藝衡云按西戎地漢燉煌郡唐置瓜州瓜大如
斛因瓜以名州名也豈五代時方入中國耶

沙糖

沙糖本出於甘蔗東方朔神異經作肝𧍪稭含艸木

十二

藷

狀作竿蔗謂其竿如竹竿離騷漢書皆作柘字通用也說文作蔗蓋音之轉也按程大昌演繁露載張衡七辨曰沙糖石蜜遠國貢儲即今沙糖也又古樂苑聖郎曲酒無沙糖味又留青日札引傳巽七誨云南中茶子西極石蜜楞嚴經黑石蜜乃甘蔗糖艸木狀作甘蔗錫乃知沙糖古已有之唐審元証類所載蓋以陶氏爲首者妄也如時珍謂始於唐大祖者誤甚矣按王灼字晦叔嘗著糖霜譜紹興中守元偶獲其篇而壽梓幸今傳于世頗詳其造法閩書云

石蓮子

逢原云墮入淤泥經久堅黑如石

陶貞白云藕實即蓮子八九月采黑堅如石者乾搏破之圖經云其菂至秋黑而沉水爲石蓮子時珍云今藥肆一種石蓮子狀如土石而味苦不知何物也。槃按南寧府志云石蓮子者生藤長一二丈藤上有刺鄉人栽之爲園墻或云是琉球屬八重山所産白無穗子蓋即此也又。按本草從新汪云今肆中石蓮産廣中樹上其味大苦不宜入藥本草原始逢原出此說

桂

仲景所謂桂枝者蓋其幼枝今猶用桃桑槐柳之幼枝本經逢原云桂枝即頂上細枝亦名柳桂言如柳條之嫩小也若用其枝幹之皮則必不得不謂之桂皮矣如蘗皮秦皮生梓白皮此

十二

狀作竿蔗謂其竿如竹竿離騷漢書皆作柘字通用

[illegible]昌演繁露載張衡

[illegible]沙糖也又古樂苑

[illegible]川傳巽七誨云南

[illegible]乃甘蔗糖艸木狀作甘蔗

[illegible]類所載蓋以陶氏

[illegible]正者誤甚矣按王

[illegible]偶獲其篇而壽梓

喬

本草圖經有兩種赤色名崑崙蔗白色名荻蔗出福州以上皮節紅而淡出泉漳者皮節綠而甘其榦小而長者名菅蔗又名蓬蔗居民研汁煮糖泛海鬻吳越間糖有二種曰黑糖曰白糖有傻清有潔白鍊之有糖霜亦曰氷糖有蜜片亦曰牛皮糖其法先取蔗汁煮之攪以白灰成黑糖矣仍置之大甕漏中候出水盡時覆以細滑黃土凡三遍其色改白有三等上白名清糖中白名官糖下名奮尾其所出之水名糖水矣官糖取之再行烹鍊劈雞卵攪叁渣滓上浮復置甕漏中覆土如前其色加白名潔白糖也其所出之水名潔水矣又取烹鍊成糖霜蜜片矣甕漏器如帽盔底穿一眼出水其處也初人莫知有覆土法元時南安有黃長者為宅煮糖宅垣忽壞壓於漏端色白異常遂獲厚貲後遂効之他糖諸郡皆有潔氷蜜片獨出於泉蜜片元人名沙裡別胡語也

（注：一八八葉展示一八六葉上的夾紙信息，特此加葉。）

之

皆曰皮此處乎可爲其證焉方有執條辨亦曾議之然而后世用其皮尚稱桂枝者意取其舊耳又本艸收録數等之目者元是桂樹繇于風土之寒暖有其精粗優劣故殊其稱以折之曰牡桂牡大也曰菌桂廣雅云菌薫也或作箘非矣曰木桂郭璞解爾雅云圭厚皮者謂粗理如木也曰官桂朱震亨補遺云官貴之之辭曰桂心又云心美之辭謂去甲錯無味者一層而留其味辛甘者也故李東垣謂之中桂醫宗金鑑云桂枝下去皮有二字夫桂枝氣味辛甘全在於皮若去皮是枯木矣如何有解肌發汗之功宜刪此二

字槃意去皮謂去麤皮金鑑之說卻誤曰肉桂謂厚皮如乾肉也也本艸備要云肉桂乃近根最厚曰柳桂謂幼枝如柳條也或云出從柳州曰筒桂謂皮卷如竹筒也曰薄桂謂薄片翻翻也曰版桂謂厚堅憂憂也此雖其分目頗滋實咸是一桂矣蓋爲析其精粗優劣殊其稱耳

木蘭

通雅云王元美以木蘭爲玉蘭揚雄所謂辛雉相如之流移也白曰玉蘭外紫者曰辛夷時珍引白樂天集廣心樹曰木蓮四月華似蓮此眞木蘭智按段成式續集木蓮出忠州鳴玉溪及邛州葉似辛夷花似

十三

蓮花魏王花木志有木蓮狀亦如之老學庵筆載樂天忠州木蓮詩序云予遊臨卭白鶴寺佛殿前兩株高數丈葉如桂中夏發花如芙蕖香亦酷似花折時有聲周益公益部方物畧記木蓮贊曰葩秀木顛狀若芙蓉不實而榮馥馥其敷狀之甚明須知蓮蘭聲通轉

沉香

稻若水結髦居別集所載其說悉備今摭其遺漏者一二録于斯按屈大均廣東新語云伽楠沉香並生沉香質堅伽楠軟味辣有脂嚼之粘齒麻舌王漁洋

氏

香祖筆記云沉香性堅伽楠性軟其氣上升故老人佩之小便澁産占城者佳樹爲大蟻所穴蟻食石蜜遺漬香中歲久凝而堅潤其色如鴨頭綠上之上也又有虎豹斑金絲結其色黃貴與鴨頭綠等王晫檀几叢書載萬泰黃熟香考云粤東稱衆香國而馬牙黃熟出于莞地自莞二十里外皆山鄉民以爲業其樹有子可種經年長可如臂伐去復生二三載輒伐之愈發後數尺其根株形類指掌鑿于掌內即爲馬牙留外之皮以存不朽百年之外始爲老格取地瘠多石者爲最張潮虞初新志載張明弼董小宛傳云

十四

近南粤東莞茶園村土人種黄熟如江南之藝茶樹矮枝繁其香在根自呉門解人剔根切白而香之鬆朽盡削油尖鐵面盡出所謂萬張二説畧相似乃與石蜜遺漬之説甚殊陳懋仁周亮工皆言榕樹千年者其上生伽楠香疑幾乎膺會嘗聞南都東大寺所藏奔黄熟香傳云蘭奢待蓋奇南也谷響集云本朝聖武帝時自西番来置諸東大寺（朱子語録云王道嘗謂胡僧曰蘭奢僧悦蘭奢胡語褒譽也）王元美云秦漢以前惟稱蘭蕙椒桂至隋唐自南海伽楠諸品畢至蘭蕙椒桂遂廢

雞舌香

今

宋孔平仲毅父談苑云鷄舌香即丁香賈思勰齊民要術云雞舌即俗名丁子香日華子云鷄舌香治口氣故官含鷄舌香取其便於奏對正是今之丁香古方五香連翹湯用鷄舌香千金五香連翹湯無鷄舌香却有丁香最爲明驗俗醫取乳香中如柿核無氣味者謂之鷄舌香殊無干涉新補本艸重出二物葢考之未精也海東麻子大如蓮實陜西極邊枸杞大可柱葉長數寸人有在韶州見自然銅黃如金粉價直於金邵化及爲高麗國王治藥云人參極堅用斧斷之香馥一殿今之醫者治病少效殆亦藥材非良也

近南粤東莞茶園村土人種黃熟如江南之藝茶樹矮枝繁其香在根自呉門解人剔根切白而香之鬆朽盡削油尖鐵面盡出所謂萬張二説畧相似乃與石窰遺漬之説甚殊陳懋仁周亮工皆言榕樹千年者其上生伽楠香疑幾乎膚會嘗聞南都東大寺所藏奔黃熟香傳云蘭奢待蓋奇南也谷響集云本朝聖武帝時自西番来置諸東大寺（朱子語録云王道嘗謂胡僧曰蘭奢僧悦蘭奢胡語褒譽也）王元美云秦漢以前唯稱蘭蕙椒桂至隋唐自南……廢

雜……

推古

用明紀曰三年夏四月沈水漂着於淡路島其大一圍島人

（注：一九六、一九七葉展示一九四、一九五葉上的夾紙信息，特此加葉。）

今

宋孔平仲
卽俗名丁子香日
其便於奏

不知沈水以文薪燒於竈其烟氣遠薰則異以獻之

思勰齊民術云雞舌
鷄舌香取
麹湯用鷄
舌香千金五香連麹湯無鷄舌香却有丁香最爲明
驗俗醫取乳香中如柿核無氣味者謂之鷄舌香殊
無干涉新補本艸重出二物葢考之未精也海東麻
子大如蓮實陝西極邉枸杞大可柱葉長數寸人有
在韶州見自然銅黄如金粉價直於金邵化及爲高
麗國王治藥云人參極堅用斧斷之香馥一殿今之
醫者治病少效殆亦藥材非良也

十五

龍腦

香譜引西域記云羯布羅香其樹松身異葉花果亦別初採既尚未有香木乾之後循理而折之其中有香木乾之後色如冰雪亦龍腦香屈翁山云樟腦以人力龍腦以天生者也凡腦皆陽所聚陽香而陰臭而龍者純陽之精尤香方密之云雜俎云龍腦香者出波律國乾脂曰龍腦香清脂曰波律膏香譜誤分兩條智按張邦基自製鼻觀香槇樝液漬水沈屑加波律一錢人不知其解蓋波律或婆律即今之冰片也今廣東來者以梅花片爲上僞者升韶州樟腦爲

之近來和製龍腦亦樟腦也

厚朴

急就篇注凡木皮皆謂之朴此樹皮厚以爲名其樹名榛其子名遂天明壬寅歲我附庸琉求呉繼志貢于中夏檇此方所云厚朴者問之陸澍（字雨莊江南松江人）答云是厚朴一名烈朴産跤趾者爲最建平宜都及洛陽山陜河南川蜀浙閩皆有之南産者功勝於北以厚而紫色者爲佳今据此說此方所謂厚朴亦無疑其眞然由乎地方自有優劣耳

梓　楸

埤雅云牡丹花王梓爲木王葢木莫良于梓故書以
梓材名篇禮以梓人名匠室有此木則餘材不復震
或位置在佗木下則有聲其異如此土俗以黄心爲
上槃意者本艸所謂梓果是耶亦未可知而梓楸古
今淆亂按說文椅梓也梓楸也檟楸也是椅楸梓檟
一物而四名爾雅以爲一物然詩定之方中樹之榛
栗椅桐梓漆是乃甄屬六木爾雅說文竝誤而又梓
之與楸何從而分哉崔豹古今注云梓實曰豫章陸
璣詩疏云楸之疏理白色而生子者爲梓賈思勰齊
民術云有角者爲梓無子爲楸高濳人天禄識餘引

六書故云梓似桐葉生子高峻事物紀原及陳扶搖花鏡生莢者爲梓然又鄭樵艸木忠畧云陸璣謂楸之疏理白色而生子者爲梓齊民要術謂白色有角者爲梓無子爲楸是皆不辨楸梓也梓與楸自異生子不生角廖文英正字通亦本之鄭氏耳陸佃云楸至秋垂條如線彙苑引夢書云楸線乃是也黄克興藝林伐山云柳絲楸線此則古今猶爲紛綸遂無一定之說其生子莢者今此方所謂雷霆木不生子者卽赤芽桐也槃姑取崔陸之舊耳

桐

通雅云椅桐榮桐白桐即泡桐也陸璣以椅爲梧桐因陶隱居之說也青桐即梧桐之無實者岡桐即油桐又名荏桐葉如楓而刺者曰刺桐外國之種曰海桐小而眞紅花者曰赬桐唐宋本艸紛無定名陶貞白云四種青桐青而無子梧桐皮白有子爾雅櫬又名榮皆梧也白桐即椅桐與崗桐無異但有花子崗桐無子堪作琴瑟載氏曰剛桐似毛桐花細而不毛毛桐易枯剛桐能大宜作琴瑟陸璣曰白桐宜琴圖經又曰梓實桐皮曰椅油桐即膏桐子可壓油本艸又曰南人呼作油曰崗桐前既云崗桐無子何從壓

油予錢氏詩話作琴入藥惟白桐岡桐窄油陶誤皇祐陳翥桐譜分六種花有紫白白者理粗而體性慢葉圓大而尖長其花先葉而開紫者理細而性緊不及白花者易生莊子所謂桐乳致巢至八月復有花一種刺桐葉如楓有刺一種梧桐有子可啖一種身青高三四尺便有紅花曰頳桐李時珍止分四種亦未考也言椅桐白桐泡桐爲一青桐梧桐爲一岡桐油桐爲一海桐刺桐頳桐爲一智按詩稱椅桐梓漆古詩云椅桐傾高鳳嵇叔夜琴賦曰惟椅之所生古人以椅爲高大疏理之稱故曰椅梓曰椅桐以別本

十八

梓本桐耳古或通指今則專以青桐爲梧桐以桐譜言之則白紫花二種皆今泡桐先花後葉爾雅謂之榮桐榮即泡也岡桐作油又有實如罌子粟者可作油陳藏器所云罌子桐也唐詩刺桐相似頳桐秋開紅花無實雲南桐子大而櫎又西域鄯善山出胡桐其海桐之本名乎孟康曰似桑而多曲沫流爲胡桐淚可以汗金銀今肅州有之今白門別海桐葉不似桐花開與橘柚同時凌冬不凋云是鄭和西洋移種

繫迷

繫音計唐本艸名莢迷音相近時珍作繫迷誤詩疏

繫迷一名羿先引齊諺曰斫檀不諦淂繫迷尚可淂駁馬言三樹相似駁馬梓榆繫迷挈榼升庵以爲檍或以爲朴詩見通雅斯方或以爲榎非也埤雅云榎檟也亦楸楸屬按鄭氏艸木畧云槐小葉曰榎大而散楸小而散爾雅注楸細葉而皮粗散者爲榎案今奧羽之間呼爲志奈者蓋或是也南部方諭萬多土人用以作索作布

楊　栁　栁花　柳絮

香字外集云隋煬帝御筆寫賜垂栁姓楊曰楊栁也見開河記此好事者爲之也詩昔我徃矣楊栁依依

宋玉釣賦倚乎楊柳之間子虛賦朱楊注郭璞曰楊柳可證其妄安案鄭漁仲云楊與柳實兩種說文楊蒲柳也柳小楊也或云楊揚也柳垂柳也不識何據宗奭衍義云柳華初生有黃蘂者也及其華乾絮方出又謂之柳絮本艸經柳花一名柳絮按近俗華而絮者與其花自落而不絮者析爲二物

柯樹

泉州府志云椎柯樹實江東人呼柯樹爲珠樹因呼其子爲珠子閩人呼爲椎者聲相近而譌耳山縣出多

烏臼木

丹葉之楓不獨結毬之楓矣按宋袁聚楓窗小牘自序云日對窗西烏桕省念舊聞得數十事録之以備遺忘時秋蕭瑟喜丹葉残霞来射几案録成輙呼酒落之名曰楓窗小牘是其證也吾邦嘗稱楓者清陳振先採藥録所云機楓一名野雞楓是也

枳

陸德明音義枳經以反音紀周官橘逾淮而北爲枳晏子云橘生江北爲枳水土異也此方醫家或以臭橘爲枳事林廣記云枳卽臭橘蓋膠于此案枳元有

二十

官

香臭之兩種古槩謂之枳耳凡枳雖自淮南植之遂不能化乎橘乃枳也而枳原自生於南州暖地者香偏寒者即臭橘也古人云陽香而陰臭後世醫家以香者爲枳臭者改名臭橘（即枸橘也）仲景所用枳實蓋清香者也曾試其香料者極奏其効臭者不能也宋世以來枳實老者是謂枳殼

女貞 冬青

葉似冬青而薄其子黑紫至冬葉隕又有不凋者時珍云女貞實黑冬青實赤又馮應京月令廣義引艸木辨云女貞實紫冬青實紅此説是也愼懋艸木攷

以放蠟者爲冬青隆冬青翠之女貞也非紅子之冬青也此冬青一名二物方皖桐以落葉之女貞強爲水蠟樹案落葉不落葉皆放蠟矣蘇頌王禎倪朱謨竝以紅子者爲女貞非也山海經作楨圖經作女貞可疑案羅浮山記云山有男青詳見于銷夏録似女貞是冬青也東壁爲雀瓢之女青誤矣三體詩注冬青爲萬年枝誤萬年枝詳見于銷夏録

蠟梅

方回瀛奎律髓王平甫黄梅花詩庾嶺開時媚霜雪梁園春色占中央未容鶯過毛無類已覺蜂歸蠟有

香弄月似浮金屑水飄風如舞麴塵塲何人剩著栽培力太液池邊想菊裳注黄梅花未有蠟梅之號至元祐蘇黄在朝定名曰蠟梅知是本名黄梅

靈壽木

漢書孔光傳云太后詔賜太師靈壽杖注孟康云杖老杖也服虔云靈壽木名師古云木似竹有節此服虔兩降遂爲一木名恐非孟康以爲老杖者得之蓋靈壽賛之之辭猶漢史玉杖亦賛辭也通雅云橤今之天台靈壽杖自然腫節乃藤也攷其所淵源爾雅据郭璞注腫節可以爲杖一名靈壽乃是也師古亦

本此耳

茯苓　茯神

醫賸云茯苓茯神元是一物别録強判之耳史記作伏靈乃神靈二字互用廣雅茯神茯苓也御覽引本艸經茯苓一名茯神可以的證

竹茹

顧生微論云即竹之刮去青皮用第二層者吳遵程本艸從新亦本于此本艸蒙筌云削去青色取向裏黄皮入門云刮去竹青皮又回春云竹上青皮刮下用而亦有竹皮及青竹茹之名是二説互異槃按楚辭注茹柔耎

廿二

也枳茹船茹亦即此義也余意者凡淡竹連上皮及皮下之青色刮下取柔耎如綿者用之蓋佳也若刮去青色則其力弱矣又按蘇沈内翰良方云淡竹對苦竹爲文除苦竹外悉謂淡竹不應別有一品謂之淡竹後人不曉於本艸則謬淡竹爲一物

褌襠

堅瓠集曰褌即袴也古人袴皆無襠女人所用有襠者其制起自漢昭帝時上官皇后爲霍光外孫欲擅寵有子雖宫人使令皆爲有襠之袴多其帶令不淂交通名曰窮袴樂府所云愛惜加窮袴防閑托守宫

是也今男女皆服之矣褌襠一名犢鼻按徐氏筆精犢鼻褌注謂形似犢鼻非是按明堂圖人身兩膝以下有穴名犢鼻褌至犢鼻言其經也即寗戚南山歌短布單衣適至骭杜甫同谷歌短衣數挽不掩脛之意

鍾馗紙

醫賸云本艸綱目曆日後出鍾馗一條時珍集解全襲楊用修而不詳藥方所用何物按都卬三餘贅筆云唐故事歲暮賜群臣曆日并畫鍾馗劉禹錫有代杜相公謝鍾馗曆日表云圖寫威神驅除群厲頒行

元曆敬授四時弛張有嚴光增門户之貴動用協吉常為掌握之珍又有代李中丞謝鍾馗曆日表云績其神像表去厲之方頌以曆書敬授時之始（按張說謝賜鍾馗及曆日表見文苑英華五百九十六卷）乃知聖濟總録楊起奇效單方所用正是此物也又明時禁中歲除安放絹畫鍾馗神像以三尺素木小屏裝之綴銅鐶懸挂最為清雅出舊京遺書

扇

物理少識曰摺疊扇貢于東夷永樂間盛行陸文裕得楊妹子寫扇摺痕尚存東坡言高麗白松扇是也

智按孫愐韻注搯扇則唐人已有矣知寄所寄始永樂中亦非誕

蠮螉

此蟲黑色細腰如蒲蘆結窠於蘆葦莖中其字穿蘆葦而出種類頗多爾雅謂之蒲蘆吳越春秋大夫種曰國廩空虛其民必有移徙心寒就蒲蠃于東海之濵王隱晉書袁術在江淮軍人取給蒲蠃藝衛曰札云詩螟蛉有子蜾蠃負之螟蛉桑蟲也蜾蠃蒲蘆也即細腰蜂一名蠮蒲蘆取桑蟲之子負持而去噓嘔養之以成其子故古人傳會其音曰螟蛉似我似我

廿四

以抱他人之子曰螟蛉之子者以此北魏胡叟養子字之曰螟蛉所謂布囊盛餘肉餅以付螟蛉者是也此皆未然揚子曰螟蛉有子殪而逢蜾盖蜾蠃凡細蟲皆可負去必囓死之而寄生一子于其上積四五蟲乃以泥封之久之卵淂其氣而生又食其蟲俱盡則可以啓封而出戶矣子雲之言正是又大戴禮玄雉入於淮爲蜃蜃者蒲盧也是謂蚌也解頤新語曰瓠之細腰者曰蒲盧沈括筆談云蒲蘆謂蒲葦也

蠮螉窠

本艸攷異云俊按釋名蠮螉窠時珍云卽細腰蜂也

此說誤矣蠮螉一名土蜂非此土蜂也蘇恭云土蜂土中爲窠大如烏蜂不傷人非蠮螉蠮螉黑色而腰細雖一名土蜂而不在土中也此說足以證東壁之誤又綱目蟲部土蜂蠮螉分爲二條而其窠主治併入於蠮螉而入此條者孟浪之失也證類土蜂在地土中作窠者是也東壁不載亦誤矣

蠶

昆蟲畧云蠶之類多爾雅曰蟓桑繭雔由樗繭棘繭欒繭蚢蕭繭此皆蠶類吐成繭者食桑葉爲繭者曰蟓蓋蠶也或云野蠶食樗葉棘葉欒葉爲繭者讐由

廿五

食蕭葉爲繭者曰蚢蕭蒿也螈蠶者再熟之蠶也淮
南子原蠶一歲再熟然王法禁之者爲殘桑也周禮
禁原蠶者注云爲其傷馬今以蠶爲末塗馬齒即不
能食艸以桑葉拭去乃還食此明蠶馬類也物莫兩
盛按藝衡日札云或書作⿱神虫神之也俗或作蚕非也
蚕上聲天殄切名蜸寒蚓也即今言地蠶之類蠶之
卵謂之蚢音亢自蚢而生謂之⿰虫少大均云蠶駒與馬
同神形如蟻色廣濟譜因謂之蟻及長其未脫蛻時
口腫不食桑葉形如眠臥乃謂之眠荀卿蠶賦謂之
俯至脫其蛻謂之蠶形如蠋色白生眉乃其食遂絕

今分注
按有綿繭絲繭之別蠶婦卽識之

上

室

望之如徹而自成繭繭或作蠒張思鼎代醉謂之蠶。蓋本於易林繭虫曰蝙又曰蜆說文蝙繭虫音勇因或作螃自蚙至繭食而不飲二十餘日而化由天之寒溫必有遅速蠶婦曰乾而收之儻遇淫雨不喝則繭或腐廢矣蓋蠶屬陽喜燥惡溼其爲綵者以淡水煑之今上州產者多爲緜者以灰水煑之。江州產者爲。蛹凡經七八日則化而爲蛾矣謂之羅又曰蜾子卽蛾穿繭而出寘諸紙上其雌雄交而卵焉卵則蛾死卵則蚘也其卵紙曰連亦曰蠶紙奥州福島養者爲上蠶婦藏之至立春蚙亦出故謂之大蠶又曰頭

廿六

蠶再蠶曰原蠶鄭玄曰原再也又作⿸原䖵是晚蠶也又曰連蠶永嘉記謂之蚖又曰珍珍子曰愛憂熟蠶皮曰蚖屎曰沙死而不壞曰殭或作蠦斯方之蠶三眠或四眠而歲一熟憂熟者一類異種所謂原蠶也呉都賦卿貢八蠶之綿大均云廣蠶七熟閩則八熟記曰一歲八繭出日南是也又按留青日札云⿰虫霆三眠也蝩晚生也又有細繭者有同工繭有白有黃有青松繭有火蠶冷蠶氷蠶懶蠶是亦八蠶類也

山繭

香祖筆記引藥溪談記云禹貢萊夷作牧厥篚檿絲

爾雅曰檿山桑師古曰山桑之絲其韌中琴瑟之弦蘇氏曰惟東萊有此絲以之爲繒堅韌異常萊人謂之山繭紬爾雅又曰蟓桑繭讐由樗繭今萊陽之山繭紬蕎樗繭也案山繭卽禹貢之檿絲今之山紬樗繭又別一種乃今之椿紬也樗不才木也土人嫌其名故借名椿檿絲是也讐由樗繭今樗絲借名椿繭也

天蠶

天蠶楓蠶也馮應京月令廣義謂之楓蟲大均云出陽江其食樟楓葉嵗三月熟醋浸之抽絲長七八尺

疏

色金堅靭異常以作蒲葵扇緣名天蠶絲亦有咸鹵者大於家蠶數倍田藝衡亦云楓蠶楓葉始生有蟲食葉如蠶赤黑色四月熟將吐絲光明如琴絃海濱蜑人買作釣絲我藩大隅嘗以樟葉養之其絲較華産少劣也或以螳蝍養之云非也

草蟲　阜螽

元李治古今黈云喓喓草蟲趯趯阜螽注云興也喓喓聲也草蟲常羊也趯趯躍也阜螽蠜也箋云草蟲鳴阜螽躍而從之異種同類猶男女之嘉時以禮相求呼疏曰以興以禮求女者大夫隨從君子者其妻

也正義云釋蟲云草蟲負蠜郭璞曰常羊也陸璣曰小大長短如蝗也奇音青色好在茅草中釋蟲又云阜螽蠜李巡曰蝗子陸璣云今人謂蝗子爲螽子兖州人謂之螣許慎云蝗螽也蔡邕云螽蝗也明一物

李子曰艸蟲正言草中蟲耳阜螽即蝗類草蟲喓喓而鳴阜螽躍而從之蓋以類相求也說者既以艸蟲爲螽又以螽爲蝗又雜以常羊負蠜蠜螣蝗子之屬卒無定名師說相承五經大抵如此學者止以可意求之膠者不卑不膠則卑矣或云鳴于艸中者爲艸蟲在于阜上者爲阜螽

廿八

蟋蟀

通雅云蜻蛚即蟋蟀一作瑟蝍樂府有蜻蛚篇即蟋蟀一作蟋𧊵說文作蟋𧊵墨澤善鬭吳中養之以仰頭捲顯練牙踢腿爲四病七月鳴又曰趣織樂府作促織虎丘曰趲織一名孫旺陸璣曰楚人謂之王孫博雅因作蚟孫而反語謂之孫旺耳爾雅曰蟋蟀蛩或作蛬蛩一曰秦謂蟬蛻曰蚻朱子云斯螽莎雞蟋蟀一物隨時變化而異其名今所見同時齊鳴形類各別馮嗣宗嘗恨許慎以蟋蟀爲即且土蛇之誤按此乃淮南注引即且爲蟋蟀舊云許慎注陳直齋云

題許愼注詳序文卽是高誘槃案陳霆兩山墨談亦辨之而說文
蜸蟹下無此解

蟾蜍

通雅云蟾蜍一作瞻諸詹諸蟾蜍之蜍又作儲古蟬作詹諸王會濟中瞻諸爾雅曰鼁䵼蟾諸卽蝦蟆也淮南謂之去文升菴引䵼鼀作鼁䵼音戚施誤矣詹諸蛤蚾也自大背黑多琲磊曰蛤蚾一名去甫一名苦蠪俗以蝦蟆爲鼁之通名而謂此爲癩蝦蟆蕭炳神其說言蟾下有丹書八字故陳藏器疑惑而且以蝦蟇與蟾蜍辨何泥也

廿九

蟾酥

醫賸載明蔣一葵長安客話云大醫院例於端陽日差官至南海子捕蝦蟇擠酥以合藥製紫金錠某張大其事備鼓吹旗旛喧闐以往或嘲以詩曰抖擻威風出鳳城喧喧鼓吹擁霓旌穿林披莽如熊虎捉得蝦蟇剜眼精（案紫金錠用蟾酥特見臞仙乾坤生意其方人言巴豆輕粉等凡十五品與是齊方諸書所載大異）嘉興縣志云宮中用蟾蜍錠於每歲端午日修合各坊車蝦蟇至醫院者億萬計徃時取用後率斃盇兩目俱廢不能跳躍也東山朱公（案朱彝尊年譜高祖儒字宗曾號東山）典院事命止刺其一偏得甦者甚多此事

似微然發念甚眞爲德不淺

鱮魚

詩小雅其釣維何維魴及鱮大雅魴鱮甫甫甫大膺也風其魚魴鱮箋曰弱鱗色白性亦旋行故字從與而其大與魴魚膺又西征賦華魴躍鱗素鱮揚鬐亦魴魚之類又林兆珂多識篇云鱮魚似魴而弱鱗其色白陸璣云鱮似魴厚而頭大魚之不美者張揖廣雅以鱮爲鰱而陸佃埤雅謂鱮性旋行東壁因以爲鰱蓋誤耳案林兆珂云嚴粲云鰱頭小也盛京通志云鰱子魚小而連行知是鱮鰱明屬二物又案東醫寶

三十

鑑云鰱魚甘美卵如真珠而微紅味尤美此必非中國所謂鰱也

青魚

本艸綱目所載青魚俗稱二親也或以爲察法非也察法者卽青花魚見新字簿又有青魚膽自雲南来此必别物按湛若赤雅云藤江鯖魚形象草鯇色青黑大者百餘斤取用鉤筒其膽治目所謂青魚膽或是也

鱖

人或以鮏爲鱖不知何據劉恂嶺表録謂白如鱖肉

由此觀之鱖肉色白鮏肉即紅先是享保中華商賫風乾鱖魚大可尺狀類鯽魚而頭小其鬣甚銳其鱗尤細余十年前於躋壽館中觀之此亦與鮏異鮏見和名抄訓爲佐計案顧岕海槎餘録云江魚狀如松江之鱸身赤亦間有白色者産于鹹淡水交會之中士人家以其肉細膩初爲膾烹之及有味皮厚如錢此品不但勝絕海鄉雖江右時魚鱸鱖之味亦無以尚也此亦與鮏同

鱠殘魚

皮日休松江早春詩松陵清淨雪消初見底新安恐未知穩凭舩舷無一事分明數得鱠殘魚世多以銀毛爲鱠殘魚此詩係松江作決是鱸魚余嘗閲全唐

卅一

詩効聯珠格抄諸詩填入之開残字格中皮詩亦有西施不及燒残蠟猶爲君王泣數行鄭谷再經南陽燒残官樹有花開三體詩昨日春風欺不在就床吹落讀残書

比目

羽州秋田城外有河其源淵注于山谷故其水則淡其中産一奇魚殆如鞋底魚大都五六寸較比目大同唯鬚尾小異味亦似比目而美土人呼曰鷹羽比目蓋亦比目鞋底之屬耳

收魚名稱

禮內則麋鹿田豕麕皆有軒注切肉大如藿菜也知是軒卽膾之大片者卽魚生劊切而成者也貨殖傳鮑師古云鯫膊魚也卽今不着鹽而乾者也汪建封行厨集云不着鹽而乾者曰鯫魚着鹽而乾者曰腊魚又曰鮝魚着鹽不乾者曰淹魚糟浸者曰糟魚酒汁浸者曰醉魚

敗龜板

程若林醫彀云本艸名曰敗龜板者何以其已經灼卜故也既卜之後更無他用故曰敗龜有等未諳至理者取道旁自死浥爛者爲之非也夫龜本長生壽

卅二

物豈有自死之者其有死者非中毒則被傷也用之反被其毒而有害矣豈能益人詳此無非一念之姑息不忍生殺之意也惟高明者詳之更當推人物之輕重不可偏泥於庸俗之語也

羸蚌蛤

羸唐韻郎果切與螺同亦作蠡〻唐韻古音落戈切音騾爾雅羸小者蜬李瀕云蚌與蛤同類而異形長者通曰蚌圓者通曰蛤通雅云蠙賔邊二音蠯本牌瘢三音蚌棒本二音三字乃一聲之轉實一物也又作蜯鮭蠬字書蚝步項切音棒與蚌同屬大均廣東

新語云凡蠃類兩殼相合皆名蛤張幼學山堂肆考云毛蛤曰蠘蜼尖蛤曰齊蛤馬刀一名齊蛤唐審言本艸引吳普本艸小蛤曰蠯薄蛤曰蚌稜蛤曰蛆國語註小曰蛤大曰蜃周書王會蛤作䖯

螺鈿

說文鈿金華也正韻陷蚌曰螺鈿韻學集成鈿蕩練切音甸以寶貝飾器遵生八牋所云螺嵌卽是也宋方勻泊宅編云螺填器本出倭國又同時張世南游宦紀聞云螺鈿筆匣高麗國所進槃案通鑑陳記云上性儉素私宴用瓦器蚌盤註蚌盤者髹器以蚌爲

飾今謂之螺鈿知是来也尚矣而古乃用蚌今卽石

其

決明錦貝錦貝見和名鈔倍名珴句貝吾藩屬島奄美島嘗產之又案詩曰貝

胄朱綅周禮曰翟車貝此雖其製與螺鈿異以介甲

飾器既久矣又唐史王鉷傳曰以寶鈿爲井幹者亦

此類耳黃成髹飾錄云螺鈿一名陷蚌一名坎螺卽

螺填也百般文圖點抹鈎條總精細密緻如畫爲妙

又分截殼色隨彩而施綴者光華可賞又有片嵌者

界郭理皴皆以劃文又近有加沙者沙有細粗殼片古者厚而今者漸薄也

眞珠

格致鏡源引樊文淵七經義云珠母者大珠在中小珠環之（張氏醫通云珠母即石決明）案葉盛水東日記云珠池居海中蛋人没而得蚌剖蚌蓋蛋丁皆居海艇中採珠以大船環池以石懸大絙別以小繩繫諸蛋腰没水取珠氣迫則撼繩〻動船人覺乃絞取緣大絙上前志所載如此聞永樂初尚没水取人多葬沙魚腹或止繩繫手足存耳因議以鐵爲耙取之所得尚少最後得今法木柱板口兩角墜石用本地山麻繩絞作兜如囊狀繩繫船兩傍惟乘風行舟兜重則蚌滿取法無踰此矣又云珍珠初採一萬四千五百餘兩大

卅四

約三石五斗次年採九千六百餘兩每百兩餘四五兩大約一升重四十六七兩次年大者五十餘顆計一斤重云價近白金五千兩御史呂洪云又葉徐筠亭閑居偶録珠孕靈胎淂水之精吸月之華蘊結而成然亦有不盡出於水者余於天津遇波斯通事言胡賈善識珠〻不獨蚌生有龍珠蛇珠龜珠魚珠木珠羊珠牛珠鶴珠種〻不一凡諸物受山川日月之氣皆能生珠胡賈一見便識余未敢遽信其說及官邢臺以波斯言質之西客謂牛羊實能生珠嘗商西藏有寺僧養牛數千以谷量中有一牛骨瘦如柴目

光射人嘗仰觀日月不倦積數十年寺僧宰之腹中有珠光明圓徹比蚌珠較亮人争貨之又見獵戶於山打一黃羊大三百觔剖之中得珠如東珠是牛羊能生珠之言驗矣又聞天津某鹽商往揚州舟人於沙磧拾一鶴腦破頂骨得一珠約五分圓大夜置盤中如星光爛目山東利津縣近海海中常有大魚長數丈者乘潮退不能去村衆鋤取其肉餘骨人取為屋梁有一魚骨節夜中放光剖骨得大珠余官滄洲見人有持素珠一串名猫睛珠謂價千金余問此珠何出謂出海外璚玉山中崕石最高人跡罕到處胡

人每望山堆火光如星知石中有寶架數百丈長桴椎鑿數月恰得一百零八珠此價所以貴也又有友人云蜀山合抱大樹伐者每於根節中得珠如豆大然光彩少減於蚌珠價亦稍廉是胡賈所云凡物受山川日月之氣皆能生珠信而有徵自笑迂叟拘隅之見固難以管測天也

鰒　決明　鮑

蘇恭以鰒爲肉以決明爲殼後世呼鰒做鮑按漢書王莽傳鰒魚後漢書呉良傳賜良鰒魚百枚又伏隆傳獻鰒魚注鰒似蛤偏著石何喬遠閩志云鰒魚似

登萊而小有味苦者謂之苦鰒異魚圖讚鰒似蛤無鱗有殼一面附石細孔雜々或七或八圖經云鰒魚乃王莽所嗜者一邊着石光明可愛自是一種與決明相近也決明大如手小者如三兩指大今据此說則鰒者決明之小者也蘓氏之說殊可疑又周櫟園書影云鮑一名鰒（五雜俎亦有此文）然家語鮑魚即鱧魚知是以鮑爲鰒者係于後世傳會之稱矣

文蛤

世釋本艸者一種產于紀州者爲眞葢今人所常食花斑海蛤耳案宋世以来五倍子又名文蛤葢由似

卅六

其功之似而名也然三因方仲景文蛤散用五倍子誤近来金鑑亦依其誤焉

石蜐

通雅云紫蜐紫蘮即今之仙人掌也荀子曰東海有紫紶蒕鹽楊倞曰紫ゝ貝也紶未詳案紶當是蜐江淹石蜐賦又名紫蘮淂春雨則生華郭璞所云石蜐應節而揚葩是也無功引謝朓詩紫蘮曄春流升菴賛云蘭陵紫蜐江淹紫蘮是惟蚌類發花應春又名龜脚陶隱居曰大者如斗蜐附厓生似龜爪大如嬰兒手説文渠蝍曰天社凡夫曰海中有甲蟲二種曰

一字龜脚不字龜脚智見閩中有仙人掌頗長寸許
謂之似龜脚亦可根附石處有囊如腕上生五指始
爲前人設此一物今綱目載爲紫葛誤矣
郎君子
王敬美閩部疏云莆田青山海濵產小白石狀似杏
仁而擘兩瓣腹有文如蟲向無知異者兵人守青山
於沙石中拾歸試之釅醋中兩石離立相對須臾能
自動兩相迎合名之曰雌雄石亦曰相思槃按此乃
綱目所載郎君子也都元敬鐵綱珊瑚云長生螺數
杯置之醋中則活乃郎君子也然其名甚新

卅七

鶴

羅願云鵠卽是鶴後人以鵠名頗著謂鶴之外別有所謂鵠故埤雅旣有鶴又有鵠蓋古之言鵠不日浴而白白卽鶴也鵠名哠哠〻鶴也以龜龍鴻鵠爲壽〻亦鶴也故漢昭時黃鵠下建章宮大液池而歌則名黃鶴神異經鶴國有海鵠衛懿公好鶴齊王使獻鵠于楚亦列國之君皆以爲玩其餘田饒說曾哀公言黃鶴或爲鵠或為鶴者甚多以此知鶴之外無別有所謂鵠也

鶴肉

綱目欠鶴肉主治案李梃入門云氣味鹹平無毒主治益氣力今録此以補其遺耳又案與禹錫所謂白鶴血主治全同

鴈

李豫亨推篷寤語云鴈從風而飛案本淮南子脩務訓之言春夏南風故北飛秋冬朔風故南飛秋冬過南食肥體重故借蘆以助風力耳塞北風高則無事此故投於鴈關頂讀高士奇江村歸田集有詩云塞鴻六月護毛衣往年扈從日北見鴻鴈六月換毛羽皆潛藪澤中養翮梳翎計不非聘取碧天秋信早雲羅萬里猶高飛高士奇清冷堂集鴈

又

卌八

於五月間生雛塞上諸澤中其大如拳細鳴噭〻就水艸爲棲息天明中。魯齊亞漂人幸大夫者云秋月在于蝦夷鴈脫毛羽巢于山中而育卵土人取爲常食是與澹人之言正相符爲今据澹人之詩則鴈南風北飛之說似可糜故姑録于此以廣異聞又鴈曰陽鳥按孔鮒小爾雅云去陰就陽謂之陽鳥鳩鴈是也又書經講義云日行南陽鴈向南飛日行北陸鴈向北飛隨日還故曰陽鳥

鶩鳧

太平御覽引董子繁露云張湯欲以鳧代鶩祠祀宗廟董子不可則自漢以鶩為鴨鳧為野鴨明甚

燕

大曰胡燕小曰越燕斯方燕七月去矣案徐葆光中山傳信録月令云七月玄鳥来（燕至此月始来）乃知玄鳥踰海而接於流虬或云其渡海者誤此說却妄也

杜鵑

香字外集云子規人但知其催春歸去之鳥蓋因其聲曰歸去了故又名思歸鳥而知亦先春而鳴之鳥史記曆書百艸奮興姉規先嘷索隱曰子規春氣發動則先出野澤而鳴是也韓致光春恨詩殘夢依〻酒力餘城頭批頰伴啼鳥批鵊鳥即鵯鵊也催明之

卌九

鳥隋煬帝詩笑勸上林中除却司農鳥司農卽喚起也今先春鳴者曰金鷄籠古鴨頰一名戛鷄至蠶候乃鳴者曰扎山扎火亦因其聲也

鴆

通雅云䲰日卽運日鴆也弘景曰鴆與䲰日二種鴆如孔雀䲰日如黑傖鷄作聲似云同力江東呼同力鳥昔人用鴆毛爲毒酒蘇恭曰羽畫酒殺人亦是浪澄郭璞曰鴆大如鵰長頸赤喙食蛇說文廣雅皆以鴆爲䲰日淮南子曰暉日知晏今訛爲運交廣人云䲰日卽鴆更無如孔雀者陶爲人所誑也羅願曰鴆

狀如鷃紫黑色雄名運日雌名陰諧函史曰有蛇廸群呼同力數十聲石崩樹倒蛇無脫者蛇入口即爛惟犀解其毒智記晉王愷養一鴆司隸傅祗奏于都亭燒之亦言似鵰而玉篇載䲹鳥名似烏一名同力說文不載亦無作鴆之說運䲹一聲鴆亦沈去聲道昭載鴆鴪鴆三字為一漸子云似雉黑色案爾雅秩秩海雉注如雉而黑在海中山上則秩〻即鴆孚遯齋閑覽曰蘄水黃梅有鴆巢槃案湛若赤雅云鴆如鵶大黑身赤目音如羯鼓食蛇蚖橡實遇蛇則鳴聲邦〻然蛇入石穴因意者我藩邊境之地有烏鵲者

四十

黑身紅味似鸛而小好食蛇虺毒蟲土人若悞啖之倏爲瘋癩之狀而死矣此盖鴆也

豕膚

仲景方中所載猪膚其說不一汪機會編云王好古以爲猪皮吳綬以爲燖猪時刮下黑膚二說不同今考禮運疏云膚革外厚皮也倪朱謨云盧子繇云膚革外薄皮也又云淺膚槃案儀禮聘禮鮮膚注豕肉也又內則注膚切肉也此其明證也

馬

鄭漁仲昆蟲畧云馬之類多爾雅曰騊駼馬音陶徒

字林云北狄良馬也郭云色青又曰野馬郭云如馬而小穆天子傳云野馬日走五百里又曰駮如馬倨牙食虎豹倨即鋸也山海經云中曲山有獸如馬而身黑二尾一角音如鼓名駮食虎豹可以禦兵又曰騉蹄趼善陞甗騉蹄者其蹄如趼秦時有騉蹄苑甗山巔也郭云形似甗上大下小騉駢音昆硯又曰騉駼枝蹄趼善陞甗枝蹄如牛蹄是也牛枝蹄馬圈蹄又曰小領盜驪穆天子傳云天子駕八駿右盜驪左綠耳小領細頸也又曰絕有力駥馬高八尺曰駥青戎又曰驎皆白惟馵四骹皆白驓四蹢皆白首前足

皆白騱後足皆白翑前右足白啓左白踦後右足白
驤左白馵駵馬白腹騵驪馬白跨驈白州驠尾本白
騴尾白駺馰顙白顛白達素縣面顙皆白惟駹駮膝
下也蹢蹄也騂赤色驪黑色跨髀間也州竅也尾本
尾根也尾根白曰騴尾毛白曰駺顛額上也素鼻莖
也顙額也驓騱翑踦騵驈驠騴駺馰音敲繒奚劬
欺刋聿燕晏郎的又曰回毛在膺宜乘在肘後減陽
在幹茀方在背闋廣減廣音淡光回毛旋毛也膺胷
也幹脇也又曰逆毛居馻音兗郭云馬毛逆刺又曰
騋牝驪牡鄭玄謂騋牝者色驪牡者色玄注周禮復

駧

謂七尺已上者爲駷又曰玄駒褭驂褭奴了反鄭云玄駒小馬之別名又曰牡曰騭牝曰騇郭云江東呼駁馬曰騭騇音舍艸馬也又曰騂白駁黃白騜騂馬黃脊騝驪馬黃脊騽青驪駽青驪驎驒青驪繁鬣騥驪白雜毛鴇黃白雜毛駓陰白雜毛駰蒼白雜毛騅彤白雜毛騢白馬黑鬣駱白馬黑脣駩黑喙騧一目白瞯二目白魚孫炎云騂赤色也青驪駽郭云今之鐵驄也青驪驎驒謂青黑二色相雜如魚鱗郭氏謂今之連錢驄是也鴇郭云今之烏驄駓郭云今之桃花馬陰淺黑色也駰郭氏謂今之泥驄蒼淺青色也

四十二

形赤色也喙口也凡此所言皆典籍所載之馬人或不曉其毛物故爾雅釋之騝騮音虔習駽呼縣反驎良刃反驔騵鵝駓騢騂騆音陀柔保皮遐詮闕

底野迦

本草綱目所載尚未詳因今譯蘭書所載其第一級方以補本草之闕設獨亞立窍今以高良姜代之或云藷魁揵地亞撩今以龍膽代之各八錢設扁蒲蠟獨倭而的兒蚤休安傑立加今以白芷代之各八錢蜜制蝮蛇二十四錢或黑霜沒藥八錢的刺失及羅太今以赤石脂代之或以血竭或以伏龍肝十六錢石硫黃八錢丁香三錢泊夫藍四錢或八錢桂七錢或八錢阿片佛手柑自

然汁各三錢或七錢右十三味除阿片柑汁二味外先搗藥爲極末而合二味共入鉢内別杜松露與蜂蜜各等分徐々加之共研匀爲泥釜内煮候和下火冷定收貯主治天行疫諸熱凶惡諸證泄瀉下利頭痛嘔吐或胸膈欝塞及不寐怔忡等之證甚有奇効凡能發汗和痛補元氣之功爲第一每用一錢或二錢以醋或酸味汁送下凡諸邪毒壯熱諸證其邪火日加者宜和醋以與之熱不甚者必不和醋蘭書廣迷分而出

獅子

周公瑾雲煙過眼録云闍立本西旅貢獅子圖黑色

類態而猴貌大尾姝與今時獅子不同聞近外國所貢正此類也予嘗閲蘭書真圖與公瑾所説全不爽又瀛海勝覽云自形似虎黑黄無斑頭大口濶尾尖毛多黑長如纓陸容云成化辛丑歲西胡撒馬兒罕進二獅子至嘉峪關其状只如狗但頭大尾長各有鬛耳初無大異輟耕録所言皆妄也

熊膽

肆中熊膽偽者十之八九宜哉偽造之日衆而其製亦巧矣雖太醫尚或弗辨得爲而用之于人憂病之難治蓋術之未精也槃欲明之乃探世之試法或以水

點浮塵倏開者為真或以運轉迅疾而引絲者為真或以焚而成薰陸臭者為真或以其味初甘末苦者爲眞槃考之比〻皆不然凡夾膩膏之氣者入水則浮塵劃然而闢獼猴之膽點水則旋動而垂線枯血投火則其臭似薰陸而剩殘之質極沸起源源眞膽豈析其先甘後苦哉或云狡獪者滓雜以其血液故火上咸成腥氣甚者煑甘苦之藥為膏裹以華臍鯸鮐等皮亦或楮皮紙已槃嘗閱眞膽其大者庚子百錢此元蝦夷所產常来從松前氣鄙屬于下品案蝦夷風土記云小者用之有驗蝦人亦畀之小者僅三

大[illegible] 四十四

五錢其色黄者黑者蒼黑者皆有之其味甘苦相半或甘微苦或苦微甘殆彿一也所云大小類色依地方乃爾其軟愞關乎新故或亦由夏之炎熱冬之凝凘耳而其質精粹無雜潤澤明亮一粟許寘舌上至将融化其甘苦之鋭味忽徹於心脾矣又置諸火上溶〻如蠟脂消焉其氣頗成硫黄臭是真膽之明證也

熊膽烘乾法

凡獸之膽始皆汁而膽衣柔軟也乃取得腥膽以索絞其上方澆熱湯一兩次冬月一次夏月兩次即夾于薄板柏或

（柹為佳）或細竹簾中紮縛緊定烘文火一復時許而後臘衣漸輭徐徐壓扁屢烘經日之後（三日或五日）或臘汁以如餳飴為度解索剥板而復安文火爐乾定包裹竹皮收貯（凡新臘雖乾定不必堅硬若愼用武火則臘壞）若冬月解索之後風乾亦可（宜挂無露有風之簷下）槃昔年在北越時常親見而記焉

麝香

麝香者則麝之臍中結香也昔人或以當門子者為上然當門之義未詳或云當麝之命門而結為故以為名因考本艸陶弘景云其香正在陰莖前皮內別

四十五

有膜袋裹之又本艸原始云麝形如小鹿臍在陰前
二說乃云在陰前謂之當于命門予槃未敢信姑記
前人之說焉今海賈將来者既衆源君美骨董録載
遼州漢中廣州潼州姚安蒙化等之地出之又清商
呂宏昭云出陝西者最佳四川亦出扁蝠者亞之槃
每閲之全然之結香絕鮮矣泉州藥鋪某言虛欺者
雜以火炒雞子黃黑霜蝮蛇小豆壞肉馬勃棗肉荔
支殼酒大黃紫茄核等之末裹其香氣濕以米酒甚
者錯毋砂以射其重云案弇州彙苑云麝似麞而小
人採得一子香刮取皮膜襍內餘物裹以四足膝皮

内

共作五子而土人買得又復分採一為二三其偽可
知知是從来猶且如之矧出斯方賈人或姦徒之手
乎乃觀其試法顧元交本艸彙箋云麈史主言宜眞
諸懷中以氣温之久以手指按之柔軟者真堅實者
偽又云麝臍之悉一氣凝結原無滓質第口噙良久
泯化無迹者真滓質不化者偽也又或云真香投火
香氣如故其質銷焉偽者香變而質即灰矣槩按柔
耎者常雖有之不宜也泯化乎口銷化乎火者幾希
今坊間欲得其眞必遇其闕焉大凡麝香者不嫌假
雜不妨軟耎香氣清越者足以為用夫麝香之所之

四十六

則積聚癥瘕經絡壅遏山嵐瘴癘心腹暴痛之屬也此其香氣走竄以達于病也故吾豈敢議其質爲但其香氣清越者可爲用而已槩嘗審之不中於用者五其氣焦者煙者腐者醋者苦者是也此假雜之源氣冐其香氣矣宜深辨細察又按享保中昭任製之其法麀胎一具蝮蛇活者三十條好酒三斗右三件納諸甕中密縫固封埋之淨土中歷三年乃成未知其然否往讀清王漁洋香祖筆記引趙統伯一驪集云麝噬虺食栢而香結臍而藏以自珍吾邑會寧無栢麝將何食麝春和其臍自張獵諸花卉得其香而

而括之蠅蠓集其臍膻然亦括凡諸花香蟲肉皆香材也遇蛇回旋數周撐足張臍以當之蛇自起而納諸臍獵人得其臍或收蛇不既者或收而未化〻而不盡者大抵蛇爲其香之主也

獺肝

蘇子容云諸獸肝葉皆有定數惟獺肝一月一葉十二月十二葉又有退葉又香祖筆記引一驪集云獺肝凡十二折月腐一折則他一折更新循歲更故諺曰人心象膽世事獺肝二說互異槃嘗冬〻春之交剖獺取肝咸是七葉唯葉〻大小不等耳盇釋物類者

四十七

徒賴書籍以辨形狀妄作紙上空論也吁何疎漏之至于此矣又按往歲香川大冲剖獺數多其肝未嘗有十二葉者皆是七葉貫于四時亦無增減云愈可證焉

木乃伊

侍御醫桂公甫周爲余言木乃伊凡有四種一者阨日多人以香竄辛熱藥物塗死尸瘞之經久不腐壞而成一者利未亞有沙塲沙深沒人遂爲風日所曬而成謂之白木乃伊一者西蠻炎熱之地有古壙中獲之者蓋葬時用石灰築實壙中石灰能去地中濕氣

故經年不變而成一者如德亞人拔去腦髓藏府更以藥物内之懸其尸於竈突上薰炙而成以上並見蘭書今据此說則陶九成之言誕矣亦可以補本艸

四十八

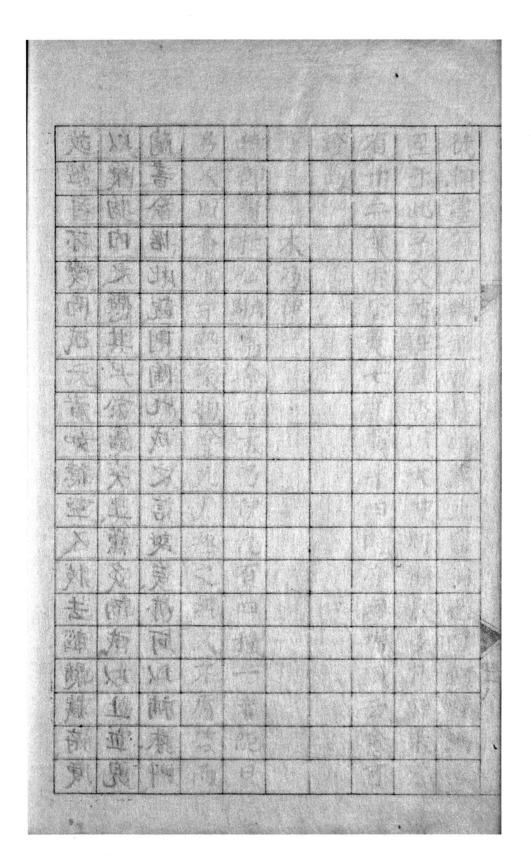

附錄分目

甘露蜜	比輪錢	浮石	木香	雞堫	南燭	蜚	鱖
驗水	神砂	人蔘鑒定	牧靡艸（即升麻）	辛夷	木綿	龍涎	鶡鴰
蚯蚓泥	火珠	人蔘收藏	坯子燕脂	乳香	竹實	龍骨	
黃銀	瑪瑙	菁芽	鶴虱	唐棣棠棣棣棠	蟬		
					蚕		

一投五倍子末

附録

甘露蜜

何培元本艸必讀類纂云甘露與甘露蜜自是一類不必重贅今姑据斯説

驗水

凡井泉流水皆輕而味甘者良也前人論之既悉矣若彼甘泉由于地脉或夾鹹氣或夾鏽氣或夾土氣此其常已然其微豈不可嘗焉而識唯茶反之驗之一汲水分爲三盌（淨明白磁器爲要）而一投鮮明鐵線〻一投瑩徹礬石乃經宿而見之鐵線發鏽者必鹹倍子變

黲者必鏽礬石生衣者必土所云三件全然如故則
潔矣此雖陸麻之書所未言及也
蚯蚓泥
醫書所載蚯蚓屎蚯蚓糞地龍糞蛐蟮屎蛐蟮泥皆
此蚯蚓泥本艸陶弘景以六一泥爲蚯蚓泥槃按宗
懍荊楚歲時記五月五日午時于韭畦面東不語取
丘引乾收之謂之六一泥又千金方作六一泥法赤
白石脂牡蠣滑石礜石黄礬鹵土蚯蚓屎各二兩又
張君房雲笈七籤六一泥用礬石戎鹽滷鹹礜石牡
蠣赤石脂滑石等以製之又證治準繩六一泥用礬

石蚯蚓糞鹹土鹽黃泥以擣和成泥又丹房須知六一泥用黃土蚌粉石灰赤石脂食鹽以造之乃知諸家所謂六一泥正非蚯蚓屎意弘景強而一之又案商濬博聞類纂云凡爐火中用鹽泥乃是鹽爛研細自然成泥一名六一泥六與一皆水數也六一泥有數法而方書以六一泥固濟云者皆當鹽泥人多不識故録此

黃銀

仁寶七修云讀演繁露方知黃銅乃赤銅其實比銀特色黃耳隋時有之而流至唐初鬼神畏者即古云

鬼神畏銅之故方密之云黄銀非一種鍮石石中之銅並似金也程大昌云世言鍮石太原所産爲最而太原即并州則公義所上其自然之鍮石乎元和志曰太原言赤銅大昌竟以黄銀即鍮而鬼畏鍮畏銅方勺曰黄銀出蜀中與金無異但上石則白色唐志章服有青鍮石帶遼元志載用鍮石處甚多

比輪錢

晉書食貨志云元帝過江用孫氏舊錢輕重雜行大者謂之比輪中者謂之四文小者謂之沉郎錢按倪朱謨云錢久藏倉生青衣錢相連着爲比輪錢而千

金比輪錢治氣淋外臺比輪錢治淋亦即是已

神砂

方此藏物理小識云化鐵法若碎鐵則用皂莢硇砂

雷斅云神砂應即硇砂

火珠

火齊亦火珠也蓋水晶珠梁書番夷傳云火齊狀如雲母色如紫金別之則薄如蟬翼韻會齊字注火齊珠一曰似雲母重疊而開色黃赤如金物理小識云紅者曰火晶可取火槃按漢書火珠謂之玫瑰說文石之美好曰玫圓好曰瑰又云玫瑰火齊珠也相如

三

傳師古注云火珠唐書南蠻傳云火齊圓白照數尺
顧起說略云水精珠即淂火矣大明一統志謂之朝
霞大火珠則知火珠火齊卽水晶珠矣本艸時珍云
火齊火精之訛却誤矣火精亦水晶珠也
瑪瑙
潜確居類書云珠璣石在登州府蓬莱縣丹崖山下
石壁千尺水中小石狀如珠璣或如彈丸久為海浪
所磨盪圓潔光瑩可愛俗呼爲彈子渦宋蘇軾常取
數百枚養石菖蒲又廣東新語云嶺南産蠟石從化
清遠永安恩平諸溪澗多有之兮嘗溯增江而上直

至龍門一路水清沙白作淺作深所生蠟石大小方圓磥硊多在水底色大黄嫩者如琥珀其𤫊瓏穿穴者小菖蒲喜結根其中以其色黄屬土而肌體脂膩多生氣比英石瘦削嶄巖多殺氣者有間也予嘗得大小數枚為几席之玩銘之曰一卷蒸栗黄潤多姿老人所化孺子其師按所謂珠璣蠟石皆是小瑪瑙比方律輕地方嘗產之而其名甚新

浮石

綱目浮石一名海石案李南豐入門言海石者海粉母也李中立本艸原始云海石者海中蛤殼也俞子

四

容續醫說引濯纓亭雜記云海石者用苦瓜蔞連皮子搗如泥和眞蚌粉匀作餅懸透風處陰入藥用去痰最勝鹹能軟堅蛤生海中凝結成殼滑鹹性多故能破痰而瓜蔞又去痰聖藥故用之相和則攻凝結之老痰極有効若以海浮石為海石者非也是海石有四

人漫鑒識

近來者皆熟而傳之其質之硬軟豐瘦圓扁固不齊俞譜云凡乾參有堅實空鬆之異者全由採取之早晩非闗地產也高麗圖經云舊傳形扁者謂麗人以石壓去汁作煎今論之非也乃參之熟者積垜而致爾其作煎當自有法也其色之油黃

清白亦不一也俞譜云種紅白二色紅者為油參產於西北白者為白熟產於東北其種雖分紅白而根本枝幹皆不異此方參商紅者曰赤蝦白者曰白蝦案經年者或變成黃赤色而近蘆處有纖線橫文層層不亂劈之滋潤明亮黃者若黃膠白者截肪或外白而內紅其膚腠則細理稠密所謂金井玉闌也咀之清甘微涼或有夾濃苦者而其味渾然唯一道也其口裏滋滋生津漿其氣則馣馥涼爽滓脚已盡尚有餘味焉是為真參之明徵生熟及碎鬚之試法皆如是今觀海內藥鋪中者偽造之品十恒八九或皮肉異本調糊紮定巧偽者必不可以外面辯焉以朝鮮製參為皮其味初甘後苦分析而滓渣未既其氣

五

碎

碎

忽泯化更無迹而已矣〔真參之氣味即如所說雖巧偽不可爲〕云是奸商取單參製參等之皮膚造之或又以種參之完膚藥汁浸潤以蔗糖蜂蜜及燒酒而緊紮壓定巧刻横線文〔種參固氣薄而無横文〕又碎鬚團參單參等亦或以種參條鬚偽之宜哉假偽之曰廣辨之亦不易也今爰雖甄别其眞偽非親見其眞與偽而閱之咀之驗之殆不可識焉碎如登崤嶮一步九嘆雖明者猶或迷之夫司命之士審而詳之勿受欺妄而悞生〻矣

同上收藏

蕭炳云人參頻見風日則易蛀惟用盛過麻油瓦罐

枚吉

泡浄焙乾入華陰細辛與參相間收之密封一法用淋過竈灰晒乾罐收亦可馮楚瞻錦囊秘録云如欲久藏和炒米拌匀内瓶中封固則久藏不壞且得穀氣也（按今以炒米貯糖經久不壞可證）清舶商俞收人參譜云生時喜陰畏陽故取出不宜見風日尤不宜潮暑潮即蛀必須火焙若以日晒則食之不効矣或云入雷茶與參相間亦佳今參商以龍腦樟腦等收之此耗散性味嘗聞令官參久藏者合赤小豆細辛與參内諸錫罐收蓄能歷其久

菁芽

六

毛晉陸疏廣要云呉録地理志云桂陽郴縣有青茅可染稻若水庶物類纂以為今之皀茅槃意未必然按李治古今黈云栁子厚遊朝巖詩惜非吾鄉土淂以蔭菁茆又禪室云法地結菁茅團〻抱虛白構屋用茆自是常事必言菁茆者當是彼土所出別有名為菁茅者也按尚書禹貢荊州云包匭菁茅孔安國云匭匣也菁以為菹茅以縮酒疏云周禮醢人有菁菹鹿臡故知菁以為菹鄭云菁蕪菁也蕪菁皆有而令此州貢者蓋以其尤善也左傳僖四年齊桓公責楚云爾貢包茅不入王祭不供無以縮酒是茅以縮

酒也禮郊特牲云縮酒用茅明酌也周禮甸師云祭
祀供蕭茅鄭興云蕭字或云莤讀爲縮束茅立之祭
前沃酒其上酒滲下者神飲之故謂之縮杜預解縮
酒全用鄭興之說而安國言菁茅亦本周禮也史記
齊桓公欲封禪管仲知其不可窮以辭因設以無然
之事云古之封禪江淮之間三脊茅以爲藉此乃拒
桓公耳非荊州所有也鄭元又以菁茅爲一物匭猶
纏結也菁茅茅之有毛刺者重之故旣包裹而纏結
也據諸說孔安國以菁茅爲一物鄭康成以爲一物
然鄭說菁爲蕒菁則不說茅說菁茅爲一物則不說

七

蒖其意亦以菁与菁茅為二物也是則子厚詩所用菁茅豈鄭元所謂茅之有刺者歟

木香

木香圖經所載廣州一種乃是木類張燮東西洋考載木香引一統志曰樹類絲瓜李珣注茘枝云樹似青木香知是木香古别有木本之者又重修靖江縣志云木香一名五香枝莖節皆淂五數按盧翰月令通攷云五香一株五根一莖五枝一枝五葉〻間五節五〻相對故名五香即青木香是亦一種据此二說則圖經載五木香别録載青木香者蓋非今之艸

本者也

牧靡艸 即升麻

後魏酈道元水經若水注牧靡音麻焦氏筆乘云靡劇与摩通縣名

其縣山南五百里山生牧靡可以解毒百卉方盛烏

多誤食烏喙口中毒必急飛往牧靡山啄牧靡以解

毒也箋云李奇云牧靡即升麻又王氏彙苑亦載牧

麻艸大毒人与此逓别

坯子燕脂

本艸燕脂附方有此目按郭子章稀痘方論云乾燕

脂用蜜水調勻塗於目上此乃洗花匠鋪内紅花膏

八

脂

子對菉豆粉成坯者也又按魏峴家藏方坯子散方中亦用乾燕脂二書足以為證爲

鶴蝨

王遜藥性纂要云綱目云鶴蝨即天明精子色黑而光者此時珍之說非也東圃曰鶴蝨草之子也其艸高尺餘疎莖對節色青而有毛葉面青黑而背淡伏而成扇分椏有鋸齒初夏開細白花如胡蘿蔔花葉亦相似四月枝頭結子成簇宛似蟲虱之狀五月子莖皆枯則可收矣採艸藥者能識生藥肆中不市賣也其莖葉則未枯時亦可用槩按此草是葢蛇牀之

鹿

屬据何為是按方密之云鶴虱即豕首之實豕首豨薟一也天蔓菁訛為天名精有玉門麥句薑劉憘活鹿地菘蟾蜍蘭諸名即爾雅之茢薽豕首也沈存中曰人不識天名精又妄認地菘為火蘞本艸又出鶴虱一條今按地菘即天名精其葉皺似蘞本艸名豨小蘞即是猪膏母後人不識亦重複出之智按爾雅注疏地菘已屬天名精何至宋時存中始辨正之蘇頌曰南人呼其花為火杴案火杴即豨薟存中云單服火蘞是服地菘言亦自戾今專用以去風濕成訥按一作納張詠皆表進豨薟丸天壇賣豨薟酒服之有驗

九

菌

菰

智謂尔雅豕首注云豨豕陶貞白曰天名精即今之豨薟時珍曰豨薟對節稜莖有斑毛地菘不對節莖圓無稜無斑毛王少夫曰豨薟皆識之天名精無識者東壁攄所見之艸耳豨薟去風有驗古名豕首必其常用者智案古通名而實別

雞㙡

雞㙡雞宗雞㙇雞菌薑黃蕈掃箒雞足蘑菇一也仁實七脩云雲南土產地蕈詩書本菌子也槃當作蕈傳字攷即録于本篇雅志中而方言謂之雞宗以其同雞烹食升庵外集云雞菌〻如雞冠也故雲南名佳菌曰雞㙇鳥飛

而斂足菌形似之故以雞名有以也吳息園蕈譜云薑黃蕈色如姜黃一名梔黃蕈所謂雞㙡者是也產黃山為多純黃色不别生襉卽於背面縐紋如摺耳口蘑而不卷亦不傘張味極美四時俱生山人所尚興化府志云掃箒菰如鹿角菜而大黃白色味亦佳潘之恒廣菌譜云本小末大白色柔軟其中空虛俗名雞足蔴姑以上諸書所載皆卽雞㙡耳本艸李時珍以為丁蕈者謬矣

辛夷

宋袁文甕牖閒評載宋王荊公詩云辛夷如雪拓岡

十

西又詩云辛夷屋角搏香雪如是則辛夷花白色也
唐書注乃云辛夷即木筆々々卻是紫花深所未曉

乳香

通雅云乳香本名薰陸以其滴下如乳頭香鎔塌地
上者曰塌香如臘茶之滴乳白乳豈分二物總因本
艸收雜俎之誤洪芻曰薰陸名羅香乳最明者的乳
次曰揀香又曰缾香乳之至細曰香爐

唐棣　棠棣　棣棠

釋木唐棣移也陶氏集注云扶移樹大十數圍無風
葉動花反而後合詩云唐棣之華偏其反而即是也

陸璣唐棣疏云薁李也此誤耳所謂薁李本艸作郁李即棠棣或作常棣李東壁詳辨之按正字通棠唐音相通以爲一物蓋非又有棣棠沈存中筆談云今小木中郤有棣棠葉似棣黄花緑莖而無實此唐棣棠棣棣棠自别也

南燭

甕牖閒評云南天竺以其有節似竹亦謂之竹而沈存中筆談乃用此燭不知何謂

木綿

宋程大昌演繁露云唐環王傳出古貝〻〻屮也緝

其花為布粗曰貝精曰氎按今吉貝亦緝花爲之而古吉二字不同豈訛名耶抑兩物也槃按宋陳襄文昌雜録云閩嶺已南多木綿土人競植之採其花爲布號吉貝方勺泊宅編紡績為布名曰吉貝余後因讀南史海南諸國傳言林邑國出吉貝木蓋俗呼古為吉耳又按閩書云吉貝木綿也閩人謂之吉貝本名古貝一曰古終曰吉貝者古貝之訛也槃意者此說為是本艸云似木者名古貝似草者名古終恐鑿按古貝蓋皆艸本也一種似木木本者即南州暖地産猶兩廣之茄經冬不凋者清商言似木者幹高而綿花豐大寬政癸

丑價其實来

竹實

升菴云竹實大如雞子竹葉層々包裹味甘勝蜜食之令人心肺清凉生深林茂竹密處頃因得之雖日久枯乾而味常存屈翁山所録者亦即此也一名練實

蟬

鄭漁仲昆蟲畧云蟬之類多爾雅及他書多謬悠惟陶弘景之注近之本艸蚱蟬注云瘂蟬也瘂蟬雌蟬也不能鳴者蟬類甚多莊子云蟪蛄不知春秋則今

四月五月小紫青色者而離騷云蟪蛄鳴今啾啾歲暮兮不自聊此乃寒螿耳九月十月中鳴甚悽急又二月中便鳴者名寧母似寒螿而小七月八月鳴者名蛁蟟色青今此云生楊柳樹上是詩云鳴蜩嘒嘒者形大而黑昔人噉之故禮有雀鷃蜩范范有冠而蟬有緌亦謂此蜩瀪五月鳴俗云五月不鳴嬰兒多夭今其療亦專主小兒也按陶此說今實考其物寒螿寧母蛁類也蛁蟟與蜩蟬類也螿類在階除間及叢薄中夜鳴日不鳴蟬類在木上日鳴夜或鳴字林云蟬蟪蛄也莊子所謂蟪蛄者蟬類之別名爾而正

名蟪蛄乃是寒蛩又螻蟈條本經云一名蟪蛄寒蛩與螻蛄類也故名號相亂凡本艸所載名號有相亂者皆是物類近似故有互名非若他傳釋有名號相亂者互名也皆是訛謬蜩蟬一物爾方言云楚謂蟬爲蜩宋衛謂之螗蜩陳鄭謂之蜋蜩秦晉謂之蟬究而言之實爲二物夏小正云五月螗蜩鳴七月寒蟬鳴是其義也今就而驗之有四五種有大如雀黑色其鳴震巖谷者是爾雅所謂蝒馬蟬是也五月以前鳴者似大蠅而差大青色或有紅者夜在屮上日在木上聲小而清亮謂之蜩七月以後鳴者似蚻色赤

斑謂之蟬亦名蛁蟟而陶謂七八月鳴者名蛁蟟色青誤也立秋已後青紅二色者断無之矣獨斑蟬盛焉一種有如大黄蜂黑色倦飛亦倦鳴故謂之瘂蟬即蟬之雌者爾本艸蚱蟬是也夏秋俱有蘇恭云蚱蟬鳴蟬也諸蟲獸以雄者為良以陶説為誤後来注釋者或引玉篇云蚱者蟬聲也明藴説是且陶謂之瘂蟬豈妄哉盖據當時所用之名物而言之醫家多用蟬蛻而希有用蟬者故不親觀其所用之名物以意測度又尋經引傳以釋證之爾夫萬物之理非的識其情状求之經傳展轉生訛况爾雅玉篇何可盡

信舊云蟬是蟯蜋所轉丸久而化成至夏便登木而蛻此說非也蟯蜋轉丸但成其子而蟬正是蟯蜋化爾又糞中蠐螬及蛓蟲之類亦化為蟬也蟬脫曰枯蟬曰伏蜟

蜚

通雅云蜚蜚害苗蟲也負盤則又一蜚也山海經曰白首之蜚又一蜚也春秋書有蜚爾雅曰蜚蠦蜰即負盤臭蟲也廣雅則以為蠊劉氏五行傳以為負蠜其實蠊為土鼈負蠜艸蟲螽類也智以艸間大臭蟲隨地生之何關春秋之書通志曰害稼始謂蜚蝱則螽

類者近是升菴論蜚不為災亦引負蠜寧未判耳山海經有獸白首如牛一目見則有兵疫曰蜚亦引為一子鄧潛谷引論曰食苗心曰螟食葉曰蟘食節曰賊食根曰蟊食花曰蜚此因爾雅四種而增一種也今按此蟲又有四種蜚蠊則滑生荼婆蟲也負螌蟲則扁盤蟲行夜者也蟨則簸箕蟲過街上鼈也負蠜則艸蟲螽類也

龍涎

元瑞筆叢云政和四年於奉宸中得龍涎香二琉璃缶諸大璫爭取一餅金武為穴而以青絲貫之佩于

頭時於衣領間摩挲以相示由此遂作佩香爲今佩香蓋因古龍涎始也餘詳載結髮居別集

龍骨

櫟陰擴醫録載陸儼山金臺紀聞云鄜縣河灘上有亂石隨手碎之中有石魚長可二三寸天然鱗鬣或雙或隻不等云藏衣笥中能辟蠹魚槃按酈善長水經注云石魚山下多立石山高八十餘丈廣十里石色黑而理若雲母開發一重輒有魚形鱗鰭首尾宛若刻畫長數寸魚形備足燒之作魚骨腥因以名之又按斯方肥前海北壹岐島中有屏風巖亦出石魚又平陽府候驛澮河兩岸及土上皆婦人手跡或掌或拳儼然如印削去之其中復然又大同山中有人骨在山

之腰上下五六十丈皆石耳惟中間一帶可四五尺皆髑髏脛節齦〻然闘中之山数處亦爾予按倪氏彙言龍骨非真龍之骨晉蜀山谷隨地掘之要皆石燕石蟹之倫蒸氣成形石化而非龍化也亦當以儀山所紀推而知已

蜃

元瑞筆叢云或問蜃氣能為山川城郭樓臺人物之形何也曰天地精明之氣游變无常兩間所有時或亦視此可驗天地生物之機所謂在天成象在地成形也蜃何能爲

鱖

人或以鮭為鱖不知何據劉恂嶺表録謂白如鱖肉由此觀之鱖肉色白鮭肉即紅先是享保中華商齎風乾鱖魚大可尺狀類鯽魚而頭小其鬣甚鋭其鱗尤細余十年前於躋壽館中觀之此亦与鮭異鮭俗作鮭詳載藥圖攬餘

鷓鴣

屈氏新語云鷓鴣飛数必隨月正月一飛而止十二月則十二飛而止山中人輙以其飛而計月人問何月矣云鷓鴣幾飛矣早暮有霜露則不飛〻必啣木

葉以蔽霜露、微霑其背、聲為啞、故畏霜露

海外漢文古醫籍精選叢書・第三輯

神農本經臆斷

〔日〕太田澄元　撰

内容提要

《神農本經臆斷》是日本醫家太田澄元編撰的本草學專著，具體成書年代不詳。此書以明·盧復所輯《神農本經》爲基礎，從文獻學角度對上、中、下三品的二百二十六種藥物進行詳細考證，内容涉及藥物的産地、性狀、品質等，尤其注重考據藥物性狀及日本出産藥物，是一部既注重文獻考據，又重視觀察實踐與臨床運用的本草佳作。

一 作者與成書

《神農本經臆斷》書首題署「岩澄元子通著」，據此判斷本書撰者爲岩澄元（子通）。

岩澄元（一七二一—一七九五），承母姓通稱太田澄元，又稱岩淵澄元，其名亦作澄玄，字子通，號大洲，堂號崇廣堂，出身於江户（今日本東京），爲江户時代中期本草學家、醫師。澄元係本草學家岩永玄浩（松岡玄達門人）之子，從其父學習本草。曾在躋壽館教授本草學，其講義被編成《神農本經紀聞》一書。除《神農本經臆斷》之外，澄元另有《本草綱目示蒙》《救荒本草臆斷》《神農本經藥品説》《本草綱目講義》《本草臆斷》《本草蒙求》《采藥筆記》《東都試方》《鄙事臆斷》等著作存世。

《神農本經臆斷》一書成書年代不詳，據作者生平判斷大致成書於日本江户時代中期。「神農本經」即《神農本草經》，指明朝醫家盧復（不遠）所輯《神農本經》一書；「臆斷」即憑藉主觀直覺對事物進行判斷，字面意思雖傾向於指錯誤的判斷，但此處特指考證并判斷。書名意爲對《神農本草經》中所記載的藥物進行考證并判斷。

二　主要内容

《神農本經臆斷》不分卷，書首有導言一則，詳論「本草」名稱的含義及其沿革。書中雖無目録可據，但就内容而言，整體依照明·盧復所輯《神農本經》上、中、下三品的藥物分類，只是順序調整爲本經上品、本經下品和本經中品，且各品收藥種類有所删減。全書共選取藥物二百二十六種，其中以礦物藥和植物藥爲主，雖涉及少量動物藥，但作者認爲多數「皆不可用，蓋後人所增入也」，故僅介紹了鹿茸、蚱蟬、白僵蠶、石龍子等藥。

本經上品（三十七種），含：丹砂、雲母、玉泉、石鐘乳、礬石、消石、朴消、滑石、禹餘糧、太一餘糧、白石英、紫石英、五色石脂（青石、赤石、黄石、白石、黑石脂）、菖蒲、菊花、人參、天門冬、甘草、地黄、术、菟絲子、牛膝、茺蔚子、女萎、防葵、麥門冬、獨活、車前子、木香、薯蕷、薏苡仁、澤瀉、遠志、龍膽、細辛、石斛、巴戟天。其中，原書無「五色石脂」之名，分爲「青石、赤石、黄石、白石、黑石脂」，但列爲一條，今據《神農本經》添「五色石脂」總稱。

本經下品（八十三種），載：孔公孽、殷孽、鐵精、鐵落、鐵（生鐵、熟鐵、鋼鐵）、鉛丹、粉錫、錫鏡鼻、代赭、戎鹽、大鹽、鹵鹼、青琅玕、礜石、石灰、白堊（粳米土、糯米土）、附子、烏頭、天雄、半夏、虎掌、鳶尾、大黄、葶藶、桔梗、莨菪子、草蒿、旋覆花、藜蘆、鉤吻、射干、蛇含、常山、甘遂、白斂、青箱（葙）子、雚菌、白及、大戟、澤漆（瀉）、茵芋、貫衆、牙子、羊躑躅、芫花、姑活、别羈、商陸、羊蹄、扁（萹）蓄、狼毒、鬼臼、白頭翁、羊桃、女青、連翹、石下長卿、蔄茹、烏韭、鹿藿、蚤休、石長生、陸英、藎草、牛扁、夏枯草、蜀椒、皂莢、柳華、楝實、郁李仁、莽草、雷丸、梓白皮、桐葉、石南、黄環、溲疏、鼠李、松蘿、蔓椒、欒華。

本經中品（一百零六種）録：雄黄、雌黄、石硫黄、水銀、石膏、磁石、凝水石、陽起石、理石、長石、石膽、白青、扁青、膚青、乾薑、葈耳實、葛根、栝樓根、苦參、柴胡、當歸、芎藭、麻黄、通草、芍藥、蠡實、瞿麥、玄參、百合、知母、貝母、白芷、淫羊藿、黄芩、石龍芮、茅根、紫菀、紫草、茜根、敗醬、酸漿、紫參、藁本、狗脊、萆薢、白兔藿、營實、白薇、薇銜、翹根、水萍、王瓜、地榆、海藻、澤蘭、防己、牡丹、款冬花、石韋、馬先蒿、積雪草、女菀、王孫、蜀羊泉、爵床、梔子、竹葉、蘗木、吴茱萸、桑根白皮、厚朴、秦皮、枳實、秦椒、山茱萸、紫葳、猪苓、白棘、龍眼、木蘭、五加皮、衛矛、合歡、彼子、梅實、桃核仁、杏核仁、蓼實、葱實、薤、假蘇、水蘇、水斳、髮髲、白馬莖、鹿茸、牛角鰓、羖羊角、牡狗陰莖、豚卵、麋脂、雁肪、石龍子、露蜂房、蚱蟬、白僵蠶。

太田澄元針對選取的藥物，先列其名稱，然後詳述産地、環境、生長、種類、别名、性狀、品質、栽培、加工、貯藏、真僞、臨床藥用等，尤其詳於描述藥物性狀及日本本土所産藥物的情况。

藥物「三品」分類及名稱以《神農本經》一書爲准，藥名下或小字列出日本和名、又名、偏名（又作「偏稱」，指藥物的日本名稱中不常見者）、俗名（俗稱）等。

產地，多爲日本本土州名、村名、地域名；環境，多指自然環境，如山中洞穴、山溪、海邊、濕地等；生長，指植物生苗、抽莖、開花、結子、凋零的時節；種類，有日本本土野生不同品種藥材、栽培種植藥材以及藥市所售舶來藥材等；别名，有和名、偏稱、俗稱等；性狀，内容較多，涉及礦物藥形狀、顔色、質地、光澤、大小、性能，以及植物藥的苗、根、莖、葉、花、果實、種子形態、顔色等；品質，分上品和下品、佳與不佳；栽培，人工栽培種植的範圍及長勢情況；加工炮製、貯藏，涉及不多，藥物多數經采摘、洗净、去雜質、曝乾或陰乾、收貯密器以備用；真僞，藥物的真贗鑒别；臨床藥用情况，以可入藥、不可入藥分别，入藥又有效力强弱、功效偏重之分。

在撰寫本書之時，澄元參考了衆多中日文獻資料，尤以本草類文獻爲主，并結合自己的生活經驗、醫療實踐，針對中日醫藥學家或其著作中的觀點，品評得失，訂其舛謬，補其不足，闡發己見，特别重視對《本草綱目》内容的考證及評價。

三 特色與價值

《神農本經臆斷》一書參考引用衆多醫學及非醫學文獻，内容翔實豐富；論述考證着重於藥物的性狀，描述詳盡細緻；立足於日本本土實際情况，側重於記述和産藥材；注重理論聯繫切身實踐，重視藥物的臨床使用；運用多種方法，解决名實考證問題。

（一）徵引廣泛，内容豐富

《神農本經臆斷》共徵引醫藥學著作與非醫藥學著作六十餘種。所引用文獻書目如下。

醫藥學類文獻主要引用本草古籍，如《神農本草經》，魏·吴普《吴氏本草》，梁·陶弘景《名醫别録》，唐·蘇恭《唐本草》，五代·韓保昇等《蜀本草》，宋·蘇頌等《本草圖經》，明·朱橚《救荒本草》、鄭寧《藥性要略大全》、陳嘉謨《本草蒙筌》、李時珍《本草綱目》、李中立《本草原始》、倪朱謨《本草彙言》，清·郭佩蘭《本草彙》、張璐《本草逢原》等。

醫經類，如《素問》；傷寒金匱類，如東漢·張仲景《金匱要略》；方書類，如唐·孫思邈《備急千金要方》，清·王夢蘭《秘方集驗》；臨證各科類，如明·陳司成《黴瘡秘録》；醫案醫話醫論類，如明·韓懋《韓氏醫通》；綜合性著作，如明·李梴《醫學入門》，清·程武《程氏醫彀》等。

此外，非醫藥類文獻，可見春秋时期及之前的《詩經》《周禮》、晏嬰《晏子》，戰國《夏小正》、列子及其弟子《列子》，漢代《爾雅》、劉安及門客《淮南子》、史游《急就篇》，三國·陸璣《毛詩草木鳥獸蟲魚疏》，晉·郭璞《爾雅注》、徐廣《史記注》、張華《博物志》、左思《蜀都賦》，南北朝·賈思勰《齊民要術》，宋·佚名氏《吴地记》、陳元靚《事林廣記》、顧文薦《負暄雜録》、黄庭堅《黄山谷詩話》、李昉等《太平御覽》、羅願《爾雅翼》、沈括《補夢溪筆談》、宋祁《益部方物略記》、朱熹《楚辭集注》，明·鄧元錫《函史》、方以智《通雅》《物理小識》、彭簪《衡岳志》、宋應星《天工開物》、王圻等《三才圖會》、徐可先《河間府志》、張自烈《正字通》，清·曹秉仁《寧波府志》、李琬《温州府志》、屈大均《廣東新語》、陳扶揺《花鏡》等。

涉及的日本文獻有官方史書《日本紀》《續日本紀》、岩永玄浩《堇類或問》《獨活或問》、太田澄元《鄙事臆斷》《救荒本草臆斷》等。此外，還徵引了貝原益軒、稻生若水、松岡恕庵等日本著名本草學家的論説。

需要指出的是，李時珍《本草綱目》對《神農本經臆斷》一書影響極大。太田澄元在本書中重點引用了《本草綱目》的内容，并對其多加品評。如本經中品石龍芮條，作者按語就《本草綱目》的記載加以評論。由於《本草綱目》的「集解」綜合了多人不同的觀點，故致後世諸多疑惑而無定論，「唯珍之所説形狀爲確可從，而若謂《唐本草》所出水堇言其苗也，《本經》石龍芮言其子也，妄謬可憎哉。又釋名引禹錫説而亦載堇條下，不知何謂也」；中品狗脊條，「萆薢，一名百枝，與狗脊偶同名耳。《吴普》固説萆，而非言狗脊也。時珍誤讀以非之，却誤矣」；中品水萍條，「時珍以田字草爲蘋，非也」；中品石韋條，「時珍混説（石韋與金星草），誤矣」；中品王孫條，「珍以王孫、旱藕爲一物者，妄也」等，足見太田澄元對《本草綱目》研究得非常深入仔細，同時也從某些側面反映出《本草綱目》對日本江户時代本草學術的深刻影響。

（二）重視性狀，細緻入微

藥物基原的確定是古代本草學術的主要内容，對藥物基原性狀的描述有助於幫助人們準確辨識藥物，進而保證用藥的有效和安全。細緻入微的性狀描述是本書的特色之一，也是作者傾力撰寫的重要内容。

書中對礦物藥性狀的描述，包括形狀、顔色、質地、光澤、大小、尺寸、性能等。如本經下品孔公孽，「形如牛角而大小不一」「其色白，或帶淡黄，光澤如石英，中有孔通，而肌理似鐘乳而不同矣」；中品磁石，「頭指南，尾指北，尾而非四面皆吸鐵也，能懸吸針」。

所描述的植物藥性狀包括苗、根、莖、葉、花、果實、種子等的形態、顔色、氣味、尺寸、生長特性等。如本經上品人參條，「春生苗，莖頭三丫，丫頭各五葉，年久者至四丫、六丫。若子種嫩苗者，唯五葉無丫也。葉似烏蘝及五加葉，大小不等。春夏交，丫心抽長，莖開小白花，攢簇莖頭，至秋結子，生青熟紅，如相思子而有圓者，有扁者，内有細子二粒，根如沙參。經年漸久者，蘆頭如小竹根；經數年者，根甚大而黄，乃可使用」。

對植物性狀的描述，多采取類比的方式，與熟知的其他藥物性狀异同進行對比，以便於讀者理解。如本經上品天門冬，「結子如零餘子樣而小，黑褐色，在條枝間，其根如百部，有薄皮，肉白色」；上品甘草，「葉似黄芪及槐葉而微大，如有白毛，其根似黄芪、苦參輩而有横梁根，而細根附焉」；上品茺蔚子，「一種初生布地，其葉圓偏，似沙參之嫩苗葉而厚。及抽莖葉成岐（歧），頗似艾葉而偏大。又似附子葉，一梗三葉，有岐（歧）尖而兩兩相對，莖方棱有節，節節生花，叢簇抱莖，似續斷花而小，淡紅色」。同時，將細緻描述與深入考證相結合，如上品菖蒲條，「諸家謂其葉有脊如劍刃，而我邦所産石菖蒲如無劍脊，乾後以之有疑之者，然非也。石菖蒲葉一半以下中心有脊，狀如劍，宜深察焉」。

（三）立足本土，詳述和産

詳列藥物的日本本土産地、品質及古今産地變化。如本經上品雲母條，「我邦多産焉，美濃、三河、遠江、奥州等出上品，其他諸州亦有之」；中品石膏條，「和産，東西諸州産之，而奥之南部津輕等所産甚上品也」；下品附子條，「蝦夷産，結實如卷丹，有每葉之間爲异，不可用；奥羽産烏頭，毒尤甚，不可漫用」；中品雌黄，據史書記載，日本野州曾經進獻雌黄，「蓋昔時産之乎？今時未聞野州産之矣」。

比較「和産」（日本所産）與「漢産」（中國所産，「舶來」品多是）藥物，包括性狀、品質及藥效等的對比。本經上品丹砂條，「漢産砂床者如白石，和産砂床者如土塊」；下品代赭條，「舶來二種，市人稱痣樣者爲良，謂如浮漚子者，即此也。其色亦黑而帶白有光，破成片，其膚似丁頭者有之。市人稱新渡，又稱古渡者，色赤黑，有丁頭者少，爲下品。近日和産未見佳者」；中品芎藭條，「舶來者氣薄，故療婦人有積聚者爲佳；和産氣强，多用或發吐也」。

明確「和産」與「漢産」藥物的對應關繫，便於指導和拓展臨床用藥。本經上品菖蒲條，「一種邦俗稱菖蒲者，生水田中，即西土人所謂泥菖，而功力甚减也」；上品菊花條，「若藥用者，黄花而味苦，有香氣者，我邦俗呼稱蘭耆待者爲良，蓋彼所謂麝香菊乎」，其中「西土人所謂泥菖」「彼所謂麝香菊」等，皆是指「漢産」藥物。

重視日本本土「市中」所售藥材的品質優劣、真僞及藥用效果。所謂市售藥材，除日本本土所産藥物（人工栽培種植、野生）外，還有通過海上貿易自中國「舶來」的藥物，本書言「市中」「舶來」藥物效力「可用」或「不可用」。如本經上品菊花，「市中物不可用」；上品人參，「市中稱舶上參者，又近世舶來參葉，亦不可用也」。此外，還對比今昔「舶來」藥物的質量與數量差异。上品滑石條，「昔年舶來帶黄色者，迥勝於今日之舶來」；上品遠志條，「近日舶物勝於昔年所賫來者」；中品石膽，「海舶者近年不賫來也」；中品白青，「近世不舶來矣」；中品當歸，「近年無舶來物」。

介紹藥物的本土人工栽培種植情况，或長勢良好，或難活不長。如本經上品甘草條，「近時我邦多植栽真甘草，不日而和産可上市也」；上品菊花條，「栽植之家苑，不須糞壤，旱時澆以水而繁茂也」；中品牡丹條，「我邦東西諸州多種植者爲良」；而下品蚤休條則言「江都近郊無産，近年自加賀州來，植難活」。

更傾向於使用野生藥物。作者發現本土人工栽培種植藥物或有不及野生藥物之處，爲保證臨床用藥效果，建議醫者以「自采」野生藥物爲佳。本經中品桑根白皮，「今日市貨多僞雜混楮根皮，殆難弁（辨），宜自采焉」；中品當歸，「自采山中自然物用，試之最勝」；中品葛根，「市中者，性味甚脱，無效；自采山野爲佳矣」。書中還提及藥物品種變异問題。如下品旋覆花條，旋覆花本深黄色，「又花色帶紅，帶白者有之，蓋變生奇品也，不可藥用」。主張在本土人工栽培種植藥材中尋找替代之品，以解决藥物供給不足和過度依賴進口的問題。

（四）親身實踐，注重臨床

太田澄元非常重視親身實踐，主要體現在本書對藥物加工炮製、辨識、種植、臨床運用的論述中。

在藥物加工、炮製方面，詳述製作工藝，强調實踐製作之法的重要性。如本經上品消石條，「煎煉火煆之藥物，甚難製造，徒知其造法，非再三爲自親製造，則不知難也，學者勿輕忽焉」。又如中品石膏條，石膏不可火煆或水飛，「一經火者爲頑物，水飛亦同，不可用」；中品乾薑條，「藥市所貨者，以母薑投沸湯中，少時取出，攤草席上，以石灰攪之，日乾而收貯，其色外白内黑而堅實也，决不可使用」。

在藥物辨識方面，澄元熟稔市場藥材情况，善於區分藥物的不同種類和品質，鑒定真僞優劣，區别混雜。本經中品雄黄條，以火燒之，「臭如硫黄，爲下品也」；上品龍膽條，「又有山龍膽，或云即石龍膽，非也。山龍膽本邦多生，冬月不凋爲异也。又有石龍膽，邦名千振草，又名當藥者是也」；上品細辛條，「細辛，以予所目擊，殆二十餘種」「自采試其味」「近世市貨舶來物粗惡，决不可用焉」；下品粉錫條，「下品者，白堊和胡粉少許以貨之也」，即以次充好，古已有之，「投火而成赤色者佳」，可以此驗其真僞；下品虎掌條，市貨將「莖紫斑點」班杖與虎掌混用，以日本俗稱的浦島草混充虎掌；上品防葵條，「奸商（用防葵）切片，以僞防風」；中品紫參條，海舶紫參中混有拳參根；中品通草條，「市貨木通混野木瓜」等。此外，澄元還對藥市製假的可能性進行分析，如指出使用宇田芍藥、信濃芍藥來效仿製造真芍藥，不易被察覺；但以山錫杖根僞充赤芍藥則不可行，因「山錫杖根如竹根，非可混芍藥者也」。

在藥物種植方面，太田澄元親自栽種藥物以便進行觀察。本經下品大戟條載，澄元「植其數品，以應詳分别也。不能筆記，唯宜以深黄花者爲最，其他亦有效力，可使用」；中品枳實條，「今試以本邦所産之橘柚移栽諸信、越、奥、羽之地，則悉化爲臭橘。百移百化，古人不欺人，於是可知也」。

在藥物的臨床運用方面，太田澄元注重臨床療效，驗證效力優劣及藥物替代等問題。如本經中品防己條，「市中稱漢防己者、稱瓜防己者，共不可用」；中品水萍條，「一種背面皆緑者；一種面青背紫赤者，入藥爲良」。上品地黄條，「地黄以生乾异用，不知何謂也。予每試之，未見有殊效，宜以乾者爲使用。若夫熟地黄，乃耳食之徒貴重之，可憎莫甚焉。而近世論地黄者，以爲失血之證非生者不效。此言一出，動則必須生者。此物山東諸州難培養，故每每苦闕乏，苦强欲生者，宜以玄參代之」。書中亦多提及日本先輩用藥習慣和特點，以某藥充某藥，如以「臭花」充「女青」等。

太田澄元是一位注重藥物實際運用的醫家，無論是同一藥物的不同品質等級、不同品種來源，還是市場混淆僞雜藥物，皆以臨床是否可以入藥、效力優劣、於病證是否有益作爲評判標準。如本經上品雲母條，「片之而明滑，光白無雜色者爲上，帶青黑色者爲下。又一種如土沙及白灰，而有光澤者有之，此乃沙雲母，而猶丹砂中有土砂也，效力甚劣」；上品礬石條，「他礬，蝴蝶、巴石、柳絮礬、金絲礬等數品，悉不可爲藥用，唯生礬、枯礬二品入藥」。又如中品女菀條，野紫菀與姬紫菀「二種形狀稍不同，今試其效，野紫菀爲良」；中品吴茱萸條，「以粒大者稱唐種，小者稱和種，試之無優劣，可通用」；中品瞿麥條，「市貨以家種之瞿麥子雜僞之，試甚無利害，可通用」；下品大黄條，「羊蹄大黄、山大黄、酸模等，其類品而不及真者，然亦有效力也」。再如下品鬼臼條，雖矢車草根爲鬼臼之僞品，然「若療子死腹中方，矢車草殊有效矣」；下品白頭翁條，「藥用防風葉者有效力，可使用焉」；王瓜根雖與天花粉易混而難以辨别，但試栝樓與王瓜功效，「如鼠漏及通乳汁，似可通用」；下品夏枯草條，以「俗稱十二一衣草」充「夏枯草」，雖「二種品類不相遠，而若治諸血症，空穗草（即夏枯草）頗有效」。

此外，對尚未實踐驗證之觀點或目力未及之形態，太田澄元均如實陳述「未試」「未見」「未决」，均不妄下定論。如本經上品五色石脂條，「或人曰白堊土下必有白石脂，未試」；上品甘草條，「花實未見，不知何形也」；下品青琅玕條，海上舶來之品，「似珊瑚而青碧色……我邦大海底多産珠樹，而琅玕之屬亦多，而其色赤黑或淡紅，或帶青者，而青碧色者絶少，故未决云」。

（五）名實考證，方法多樣

書中除藥物正名外，多列有「和名」「又名」「偏稱」「偏名」「俗稱」「俗呼」「方言」「土人名」「市中稱」等。如本經上品消石，「即火消，今俗扁（偏）稱焰消」；上品太一餘糧，「和名岩壺，又名樽石」；上品白石英，「俗呼兜水晶」；上品赤石脂，「方言石和多」；上品菖蒲，「我邦俗偏稱石菖」；上品麥門冬，「俗稱翁草」；下品蚤休（重樓）「土人名梵天草」；中品柴胡，「市中稱鎌倉柴胡」等。「和名」之中，也有用日本漢字或片假名直書的。如下品桐叶，「和名几利」；下品铁精，「クロカ子ノホコリ或云カナクワ」；下品半夏，「カラスヒシヤク」。

太田澄元有時也以主治功用考證藥物名實。如本經下品牙子條，「諸家説牙子者，不明難决矣」，以蘇恭、李中立「馬鞭草」之論考證則牙子與大根草相近，以韓保昇之説考證則日本俗名「雉子筳」即是，終「以主治則大根草是也，金創出血、小兒無名腫物、婦人陰蝕」。或以俗名、市名之別考證藥物名實，如中品凝水石，「即寒水石也。今市中呼寒水石者，即方解石，亦一名寒水石，故混誤耳」；下品

「粉錫」名下，言粉錫即胡粉，但日本俗稱的「胡粉」，却是指「蛤粉」而并非粉錫。或從文字學、音韻學角度考證名實，如中品秦椒條，「秦泰字誤，泰大通用，則大椒而作秦者，必傳寫之説矣」；中品彼子條，「柀音彼，煔音杉，蓋彼當從木作柀爲穩」。

然縱觀《神農本經臆斷》全書按語中作者闡發的觀點，雖論證多詳實，結論相對穩妥，但作者行文措辭多犀利，如「可笑哉」「欺罔可憎」「可憎之甚」「此説妄謬，可謂毒後世哉」等言之過甚。此外，作者感於當時的日本先輩多推崇舶來之品（中國藥物）而自貶本土所産，故對舶來之品亦頗多微詞，言「不可用」者爲多。如在本經上品术條，其言「後世以稱唐白术者爲補益良品，又以唐蒼术勝我國産者，共此妄謬，不可從焉。蓋尊信虚僞而不親試效，謾然以黨彼耳」。然而，限於國土面積及地域跨度，日本本土自産藥材産量有限，有些藥物的品質也難以保證。正因如此，作者的個别觀點亦帶有某些主觀臆斷色彩，書名「臆斷」似乎也不完全是自謙之語。

四　版本情况

《神農本經臆斷》僅有一種鈔本傳世，藏於日本國立國會圖書館白井文庫，❶本次影印采用的底本便是此鈔本。此本藏書號「特1—2097」，不分卷，一册。四眼裝幀。封皮黄褐色，左側原有書名題簽，但現其上文字已缺失；右上角所貼標簽記有上述藏書號。封皮之後有一葉紙，前半葉述半夏一

❶〔日〕國書研究室.國書總目録：第四卷[M].東京：岩波書店，一九七七：七五八.

藥,後半葉右下角題有「虞齋堂」三字。書首導言首題「神農本經臆斷」,書名下署「岩澄元子通著」。書首無目録,書末無跋。全書四周無墨綫框邊,無界格欄綫,無版心魚尾、書名、葉碼等。每半葉十行,每行字數不等,約二十四五字。藥名單獨頂格書寫,下文另起一行頂格書寫。書中無句讀。全書整體品相較好,但前幾葉有較明顯的蟲蛀痕迹,亦未影響文字的識讀。此外,書中若有錯脱衍倒之文,或在該行右側以旁注形式改正;或以朱筆點出該字,在當葉上方以眉批形式修正。又,書中本經中品秦皮條内容缺失,作者補之於下葉相同位置。

總之,《神農本經臆斷》内容豐富,論考翔實,是一部立足於日本本土實際,着力於藥物産地、性狀及臨床藥用情况研究的本草學著作。作者太田澄元作爲日本的本草學家、醫學家,不僅在本草文獻考證領域有突出的成就,而且擅長理論聯繫實際,將本草藥物基原鑒定與藥物臨床運用有機結合起來,體現了日本本草學研究的實用性傾向,故深入發掘、整理并研究《神農本經臆斷》,對於探究日本江户時代本草學實用性考證的成就與特色,不僅具有較高的文獻研究價值,而且亦有助於臨床運用。

孫清偉　蕭永芝

1
2097

半夏　カラスヒシヤク　東國下品　西國上品　周防上品　実者佳
原野所在多産春生苗一根一莖高三五寸至尺許莖頭生三葉
浅緑色似竹葉其根圓一根二丸上小下大其根可使用小根者
新根不堪也莖生一莖開花白色似芋花及天南星而甚小也又一
種有莖葉莖根大者又有莖葉有白毛開紫花者雖類品決
不可用矣採大根洗去外皮暴乾即使用焉市貨者諸州多出
之撰堅実者可用称麹半夏者不可用焉

塵齋堂

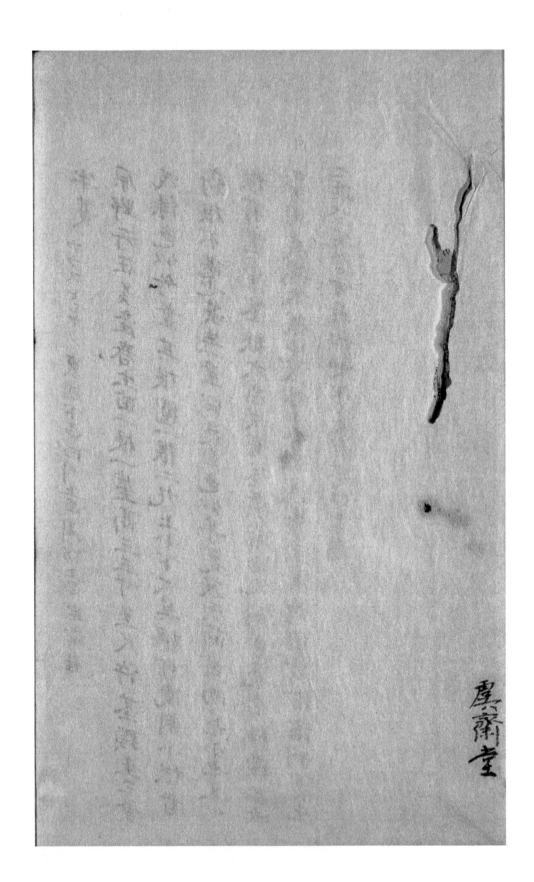

神農本経臆断

岩澄元子通　著

神農氏之事歴所見諸書而若三皇本記似畧備然太古洪荒不詳也固矣存而不論可也

本草名始見于漢矣加其名義者諸家無解焉唯韓保昇曰薬有玉石草木蟲獸而云本草者為諸薬中草類最多也時珍綱目載此説而斷按也亦未亦無異論矣蓋似此詁意推之乎按藝文志曰経方者本草石之寒温此説本字可擬焉按以草為称由此推之者説文曰薬治病草也字從艸從樂乃意以之觀之本草之名義可想哉凡生天地之宜間生々不息者乃以草總称之何則百姓亦称蒼生況其他乎学者察焉

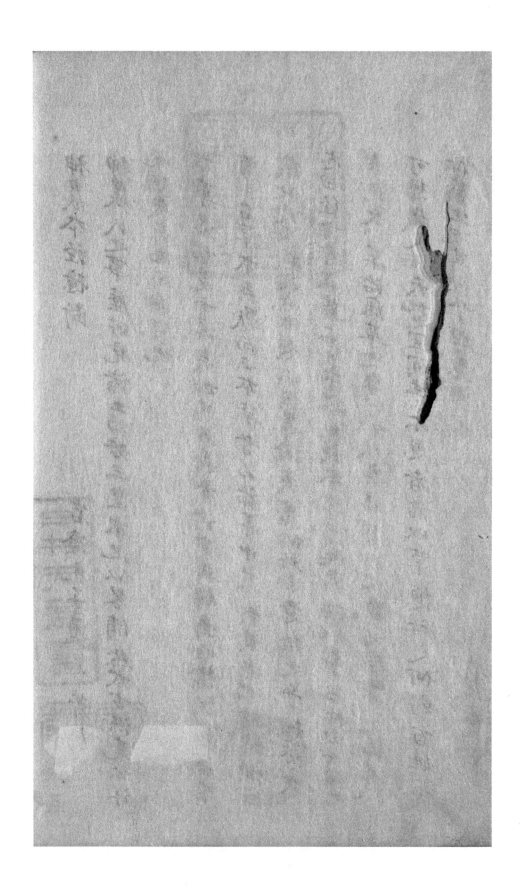

奥州気仙郡

本経上品

丹砂

有石砂土砂二種共生山間洞穴中及溪谷水中其形色雖有小異要之不過石土之二種也其石砂者攅生白石上西土人謂之砂牀也所謂如芙蓉頭箭鏃者是也牀上之塊大小不等大者如拳小者如豆而紫點色光潤有稜角焉碎之山斬岩作墻壁而漢産砂牀者如白石和産砂牀者如土塊而如白石者少也砂者牀上者甚難得也又称雪牀丹砂者有焉牀如水晶如雪而瑩徹也昔年嘗船来焉和産甚希矣又我邦俗称鏡據者奥州勝田村及南部小約東地方有之即彼所謂如雲母片者蓋是也乎又如白石而坚

有銀光面如削平者有焉或云此乃白辰天工開物所謂如絖面者是也非也不可從焉其土砂者不生石床出土石間如砂末而色赤有金光如小星亦有紫黯色者此壳即非成石砂別一種也功力甚減於石砂試真偽法投砂於火中以漆椀覆其烟上則椀中留水銀為真不俟多言也用時去雜土石洗淨為末使用又市中称針辰砂者称朱砂者共不可用近年無舶来生床上者皆如小石砂塊其品甚劣矣

雲母

我邦多産焉美濃三河遠江奥州等出上品其他諸州亦有之生土石間成塊成層成片或成一大塊如盤石者又成塊不片者其色

有數色如形狀世人普識焉片之而明滑光白無雜色者為上帯青黒色者為下又一種堅沙及白灰而有光沢者有之此乃沙雲母而猶丹砂中有土砂也効力甚劣今日海舶來者亦上品有一片大及尺余者彼方人以一大片飾燈籠或為屏風然此玩好具可愛耳非有異効也按葛洪陶弘景輩分別雲母五色以弁脩錬節雖妄言欺罔可憎然此蓋道家者流方法式然固非医之所關置而不論可也非白沢者不可為薬用又金雲母黒雲母等數種有焉共薬用所不取

玉泉

此條後人所增入可削去焉諸注家非億度則強解也珍西引載藏

器作王膏之淤可笑哉如其生治欺罔之甚假令死三年色不変
揶何益可謂不知医薬矣

石鐘乳

東西諸州甚多生山洞穴中下垂如氷柱小者如指而二三寸大者如屋柱有二人合抱者長至丈餘又石上直上者如波浪者如奥仌者有不可名状焉其色黄白黒褐数色中空者不空者亦有之其質不粗有光沢者為良或混同鵞管石者非也鵞管石別二種而本邦亦産今日市中称海舶来者不可用焉而色之黄白褐等不必論唯黒色者不佳按西土人不深識石鐘乳混説鵞管石故為鳥翮蝉翼等之解不可信医学入門別出鵞管石一条可従

其他以石乳竹乳茅乳之異弁其性之ゝ温者妄謬可憎之甚学者非親視其所産或乃為妄言所欺蓋鍾乳者一種之石類若石液滴溜成石之説不必然别有説

礬石

本邦有温泉処皆産其地热有礬气聚其土澆水上覆草薦経数日以水陶盆土沙煎煉成礬綱目云燔石而成也天工開物亦云然可疑蓋其説出傳聞也乎他礬蝴蝶巴石柳絮礬金系礬等数品悉不可為薬用唯生礬枯礬二品入薬

消石 即火消今俗扁称焔消

我邦偏称焔消也山溪阴地不看日処岩石或地上秋冬間生霜所

謂地霜也果味之鹹帶渋果味以投火成焔烟掃取以水淋汁後乃煎錬而成是為嵒然消固火薬之用廣、不足備之故又取山農旧屋下土以水淘太土以入其水於土器内煎熟移納浄器置静所経一宿則凝結而成消其製造有精粗上下品按煎錬火煆之薬物甚難製造徒知其造法非再三為自親製造則不知難也学者勿軽忽焉

朴消 即水消

生海邊鹵地共砂土取之淋汁太土以其水再煎同製焔消法按彼方人芒硝馬牙消風牙消玄明粉等分別命名製法贅言紛々無実用悉可掃太唯水火二消可使用

滑石 奥之南部花巻近山產者甚佳

東西諸州所出未見佳品近奥南部花巻近山產白滑石者甚佳也昔年舶來帶黄色者迥勝於今日之舶來尓來絶不齎來焉本草原始曰色白光潤者良黄色劣不知然否矣我邦亦產青赤黒數色共不可入藥用又作器刻印者滑石之一種也固藥用不採焉其他烏滑石冷滑石等似類者不一而形状世普識然不易弁

禹餘糧

山溪所在有之我俗名團子石又名饅頭石形圓丸大小不一小者如樓子大者如桃其外殻如稻餅有硬軟二種黄白色又有淡黒

者雖硬者敲碎其殼中有若麩粉者而如餡色紫黒又有黄白色者杲之無汁如有甘杲者為上大一餘糧可併考

太一餘糧

諸州產之和名岩壺又名樽石以外壳可為酒尊名之在所方言不同也其殼若瓷亦竹筒方圓不定外多粘綴碎石其色黒紫者黄赤者黄灰者數種有焉其壳中紫黒色如漆而多空虛如筒其中或有黄土或細石或貯水其水清濁黄數色有之乃彼所謂石中黄水也爭近世太一餘糧不舶來唯稍禹餘糧者舶來形大小方圓不定外壳黄白色如燒成者甚堅硬之中亦有如小卵者色黄其中又有小丸白粉而異和產杲之

無等果不可為菜用焉和產類品不一也按時珍曰以生池沢者為禹餘粮生山谷者為太一餘糧以二種為一物似是也、蘇恭云乃一物以精粗為名亦二子以臆言之乎然今多採數種而試之雖形状畧不同其質不相遠矣且称太一者非可為菜用者唯和產禹餘粮中宜撰之或云壳綴碎石者太一如稻餅者禹餘糧也不必然又按禹餘糧絶品者產於常總二州之界　其形如稻餅黄白色不坚方圓不定大者如升小者如雞卵破、之中如卵者大者二三塊小者一塊有焉碎之軟如麪粉淡黄、色此者禹餘糧中上品也可自試矣再详之此二種而一者外壳坚剛而形若瓷若筒可酒尊及花瓶者一者如餅稻

中褁如卵之子者為薬用而外壳坚輭而称岩壷者不可入薬用

白石英

諸州多產我俗呼兆水晶塊大小不一大者如柱小者如指悉六面如削其色白紫黑多而青红者甚稀唯白者多攢簇大小數寸而如有床上焉他色者雖有附著一二者不如白者薬用紫白二色其功力相同矣按石英水精通而互称之然可謂一物雌雄耳石英形六面如削大小長短悉然無水精六稜者可想非性質全一物也

紫石英

即白石英紫色者深紫色者易混黑石英矣

青石赤石黄石白石黑石脂

數色皆產於本邦而藥用今日唯赤耳佐渡州所產上品勝於

舶來其色如桃花有光沢方言石和多也其他數色未見佳品焉青

者信州水内郡蓬谷間有佳品矣或人曰白墾土下必有白石糯（脂）

試又云握手如脂附着乎者石脂也白墾者不然也吳地記曰餘杭山

有白土如玉甚光潤吳中每年取以充貢號曰石脂亦曰白墾白礒 按

白墾亦称石脂也乎又按赤石脂桃花石本一物以桃花湯可証

拠焉或石脂中坚而以不粘舌有花点（点）者充之遂以為石脂之下

品又云桃花湯之名非關菜品也唯其煎汁色淡紅如桃花色

故名焉粗谬哉桃花石即赤石指一名耳若分别上下品以異命名則千百之菜石豈無有上下品者哉且昔人何有識見以其下品者为薬用耶不通之甚若夫不粘舌者亦有此固赤石指中之最下者不可為别命桃花石蓋其原因恭之误

菖蒲

我邦俗偏称石菖所在多有之好生岩石水際及下湿地其性好水也葉大小廣挟数種大者如蒲小者如針冬夏常青菜用則大葉肥根嚼之辛香实者为佳小葉細根者之時亦可通用一種邦俗称菖蒲者生水田中即西土人所谓泥菖而功力甚減也二品形状世人普識故不详说焉按诸家謂其葉有脊

如斂刃而我邦所產石菖蒲如無斂脊乾後以之有疑之者然非也石菖蒲葉一半以下中心有脊狀如斂宜深察焉

菊花

蘜菊盡也今日爲最以故變態百出不可枚舉焉莖高者丈余卑者三五寸其花亦有大中小數等花色黃白紅紫褐二色數種筆不勝紀而古以黃色爲菊花之正色今人家所植者棄之不栽培肥養則各色者而成黃白之二色以之觀之以黃爲正色有故乎或以五行五色論之亦通若菜用者黃花而味苦有香氣者我邦俗呼称蘭奢待者爲良蓋彼所謂麝香菊乎栽植之家苑不復糞壤旱時澆以水而繁茂也花未全開時採收陰乾藏

瓷器可使用苦辛香氣太則絶無効矣市中物不可用又有春菊夏菊及四季開花者共採用所不取也按西人貴白花果甘者爲真菊其果苦者爲苦薏非真菊也殊不知菊固有甘苦之二種非固真假矣其果甘者採用不効且苦薏者雖形状相似然本自別種而已安得並論真偽耶苦薏山野多生俗称野菊形状似菊唯葉小爲多尖帯白色秋開小黄花無他色甚蘩延此物方用少而瘍亦採花浸油使用治無名瘡痔疾湯花傷及虫螫

人参

春生苗莖頭三椏椏頭各五葉年久者至四椏六椏若子種嫩苗者唯五葉無椏也葉似烏蘞及五加葉大小不等春夏交椏

心抽長茎開小白花攢簇莖頭至秋結子生青熟紅如相思子而有円者有扁者内有細子二粒根如沙參経年漸久者蘆頭如小竹根経数年者根甚大而黄乃可使用而年浅者有生豆之気善発吃吐炒之為佳然功力甚減我邦產者味苦而帯甘者殊少矣又有称節人參者莖葉花実無異唯根如竹鞭而鬚根多附焉又称鬚人參者共我邦多產頗有効也其鬚人參者即人參之鬚根也又一種如竹節者甚細小而鬚根特多者有之此類種不一矣市中称船上參者又近世船来參葉亦不可用也人參以直根者栽植之家園経三五年者乃掘採洗浄曝乾而收貯密器可使用

天門冬
所在有之春生苗初如蕨苗而莖有青褐之二色漸長生枝條
成蔓其葉細小如綠杉引蔓至二三尺枝條下有逆刺亦無
者有之蓋雌雄耳葼枝葉間開細小白花如碎米秋結子如
零餘子樣而小黑褐色在條枝間其根如百部有蔫皮肉白
色採塊根去皮日乾或浸熱湯而乾亦佳

甘草
出甲州今處處人家園圃栽植之春生苗及長如苦參高二三尺
許甚繁茂葉似黃芪及槐葉而微大如有白毛其根似芙蓉
苦參輩而有横梁根而細根附焉採横根日乾去皮可使用

其細根植之經年亦成横梁矣花實未見不知何形也此物本邦未多産故以海舶物使用市中稱南京者為上稱福州及紅毛者為下也然此藥市中之所稱呼而非實有之等之産也雖有好歹甚無利害但以其色深黄而味濃甘者以為最按邦俗稱草甘草者稱蔓甘草者有之形状甚相似而開紫花結莢實葉莖味甘其根不為横梁且味不甘雖数近者然非真不可用焉近時我邦多植栽真甘草不日而和産可上市也

地黄

初苗塌地生其葉似小芥葉而不花又葉面深青色而毛洪

三四月叢中擢莖微有細毛莖上開小筒子花數朶形似胡
麻花紫色黄色亦白花有焉白花者形狀少異也結實如
麦粒內有細子其根長一二尺一莖數根粗細長短不均大如指
者有之而黄色乾乃黄帶淡黒ゝ挴地黄ゝ以生乾異用不知何謂也予
每試之未見有殊効宜以乾者為使用若夫熟地黄乃耳食之徒
貴重之可憎莫甚焉而近世論地黄ゝ者以為失血之証非生者不効此
言一出動則必須生者此物山東諸州難培養故每ゝ苦闕乏苦強
欲生者宜以玄參代之或云以白芨代之恐非也白芨豈与地黄
同効哉和產上品海舶物不可用市中貨者大和山城筑前產也
而近日偽雜甚多可詳撰焉或云市貨者多胡面莽根也以灰

汁浸作黑色耳未知然否矣山東產胡面莽根細小非可
混地黃者不知山西產根形如地黃乎可詳撰

朮

稱和蒼朮者春生宿根其葉似梨而葉邊有鋸齒小刺及抽
莖葉成三五又莖作蒿幹狀高二三尺箕秋交莖頭開花
如刺薊花白色又紅色又帶淡黃者有之根如薑而旁有
細根焉稱天目白朮者亦和產也葉如梨及長不成岐尖花実
与蒼朮同而更大未見紅花者根成塊圓扁大者如拳或作
雲頭狗頭之形此物性殊勝然未甚多也又稱唐種白朮者
形狀大於蒼朮而葉五七又花色深紅其子亦大其根成雲

頭雞腿之形也称和蒼朮者不成雲頭〻此異矣称唐種蒼朮者葉如柳葉而大又似梨葉狹長微有白毛其花実同和産者又有葉岐者根如老薑而多脂膏其他雖有数種不出此四種之外也按称和産者市中以根之新旧分別蒼白二朮焉固非也白根不佳唯採新根日乾微炒之可使用後世以称唐白朮者為補益良品又以唐蒼朮勝我國産者共此妄謬不可從焉蓋尊信虛儒不親試効漫然以黨彼耳

先人曰朮古無蒼白之分名中古以来以葉叉之有無分二朮尓来遂蒼白之名顯矣汎考諸説

菟絲子

原野所在有之晩春生苗如細糸漸長而纒繞他草梗其根自断寄空中。発枝條而甚蔓延至秋色赤黄如金絲可愛枝條間有如葉者甚細小也秋開細黄白花聚攢毘生枝間花羅結実細小如碎黍米而青黒色又一種形状相同而枝蔓程氏医彀云莵絲子黄細者名赤綱。細小者名赤綱

牛膝

原野甚多春生苗莖高二三尺方莖青紫色有節暴起如鶴膝牛膝頭而赤色葉似大葉莧稍大更硬葉端尖⿰角肖両々相對枝條亦對而甚長茂秋每枝梢作穗如紫蘇開五出青白花結小尖実状如鼠婦虫而有濇毛熟粘着

人衣其根似细辛白前葦大小長短不等把大者如箸長二尺許撰採把大柔潤者日乾即使用唯充宿根枯燥無潤不堪用宜撰去一種葉挾長如柳葉莖帯紅紫色形状可愛者有焉効力甚減矣然世俗以此種為上品以大葉者称土牛膝而賤之蓋眩時珍等之妄言爾非也而牛膝種類不一而今日舶来者似異我原野生者也按此種生山中而葉狹長有细鋸齒其根形色呆同海舶物如効力不及原野生之遠学者可試焉

茺蔚子

春生宿根葉似荏有鋸齒両々相對及長鋸齒粗大圓偏

無叉了生把地者作三叉岐頂葉挾小似馬蔺杜蒿輩其茎方二三尺許葉節間生花四五朶似續斷花淡紅毛白色亦有焉花罷結実攅簇数房房内包细子四五粒其子有三稜也此即詩及尔雅之萑而郭璞陸璣輩所謂似荏者是也可以為真焉

一種初生布地其葉圓偏似沙参之嫩苗葉而厚及抽茎葉成岐頗似艾葉而偏大又似附子葉一梗三葉有岐尖而兩々相對茎方稜有節々々生花叢簇抱茎似續斷花而小淡紅色又白色者有之花罷結実毎蕚内有细子如同蒿子条褐色有三稜至冬委枯可種栽也生把地者茎高及丈許

茎葉共有臭氣此即時珍等所說而以為藥用畧有効按二種蓋種類不遠為一類二種可也又按時珍以尒雅之藬為紫花益母以引徵焉不知何謂也藬豈關益母草哉其他孫思邈所說者別一種草也有別說

女萎

後世有二女萎而本經所載女萎時珍以為萎蕤其弁載綱目可考以予視之雖可從焉何則以其主治推考之非萎蕤之所治決焉暫闕疑若夫蔓草女萎亦未詳何物也先輩以俗称老根者充之雖未知然否以其主治則野老根者近似焉余見于本草遺斷中

防葵

本邦俗称牡丹人参其葉似牡丹也初生如白芷之態茎葉共有白粉抽茎三四尺許葉附茎生不相對秋枝梢出花如葱開則似胡蘿蔔花而結実其根委枯可子種焉姦商切片以偽防風雖類不甚遠可撰按近日称唐種防風者即細葉防葵也不可為防風用焉

麦門冬

山野処々多叢生其葉小者如莎草大者如建蘭又俗称翁草者称麽斗蘭者同物中之奇品也其他類不一而薬用以大葉者為良四時長青夏抽穗花淡紅色又有白花者似綿

衆児花秋結実黒色又青色有之圓如珠根如鬚而塊根附之如天門冬而甚細小又有連珠形者採根把大者以瓦焙軟乘熱可抽心去不尔其根肉脆去矣

独活

春生於宿根苗如指頭乃長類白芷漸抽莖高至丈許分枝條其莖中空有節其葉似胡桃陸英葉更大莖葉共有毛刺嫩時帯淡紅色秋莖枝梢上出花枝有花頭數十而結成一毬數毬攢聚枝頭白色似陸英花実亦似之唯生時不紅為異耳根似白芷及前胡而長大春將生苗採之洗淨暴乾使用今時市中和產者以根之新旧分独活二活又以

真羌活為真羌活蓋以海舶者為的據也近日伪雜殊甚不可
用焉若無止郎以称和産者可使用然比之自採者功力天
壤也而独活固菜蔬中之清品故近郊多植栽冬時已貨
菑董者因糞植之力耳若其根絶無効也唯山野自生者為
良而独活種類甚多唯本邦以称宇土者可為真焉其他鹿宇
土沢宇土山宇土等類不一又称大白芷者有焉此独活中之一種
差良按独活一名羌活載本経明矣後世或為二種或為同類
者弘景為備蕿頌時珍輩遂成其説也不可從焉許見于
家大人所著独活或問今不贅

車前子

原野隨在極多春初苗葉布地生似沢浮葉小者如匙大者如扇六七月葉叢中抽茎作長穗如石菖蒲穗開青白碎花結実作细房内有细黒子即可使用又一種有一穗分数岐者又有花色淡紅者又有茎葉有白毛者共奇品可愛琓而薬用所不取也

木香

春旧根生苗葉如紫菀更長大周邊有细齒又似烟草葉而狹長色浅緑有毛茸夏秋間漸抽茎至六七尺梢間之葉抱茎幹互生秋茎梢着黄花十餘蕚似旋覆花而大亦如菊花弁细纖也花罷即実似菊及蔄蒿輩後成絮而

飛落処隨生苗其根似牛房而白色經年者根甚長大也紅
毛産上品和産不堪用海船物油揉木香間有偽雜可
詳撰焉

薯蕷

春生苗數天門冬及長而蔓延竹木其莖紫葉青似牽牛
子葉更光潤葉端不尖夏秋之交葉間開花作穗黄白色如
棗花花罷結莢成簇而無仁其實別結子一旁狀似雷丸大小不
一種之易生矣薯蕷即今山藥也負暄雜錄云山藥本名薯蕷
避唐代宗諱豫改名薯藥宋英宗諱曙遂名山藥

薏苡仁

春生苗如初生蜀黍抽莖有節高四五尺許如荻葉亦似焉六月葉間生穗開白花如苦竹花又似燕麥花罷結實如麥粒更大攢簇壘生有皮殼茶褐色其米肉白色一種實圓大堅实者名川穀又名贛（音感）米俗呼數珠玉佛家作念珠者薬用不取焉

澤浮

春生池沢浅水葉似車前葉而滑沢又如三白草葉甚長大紋脉亦似焉有莵菰之態秋抽莖分對數十條毎枝條開細小三弁花望如乱星結細小青子其根如芋塊大小不一有毛皮裹之近日所市貨多出奧州地方其他種不一形

狀大同少異矣然皆不及近郊之產也

遠志

近道所在有之其苗細莖如蔓其葉細小似黃楊葉互生三月葉間開細紫花又有白紅淡黃數色花罷結子其葉大小不一又有特生而葉尤大者根亦大或云海舶來二種根大而堅者大葉也形小而柔者小葉也不必然近日舶物勝於昔年所齊來者

龍但

宿根黃白色下抽根十餘條類牛膝而短直上有苗高尺許葉似小竹葉兩兩相對紋脉三條其莖細如小竹枝秋莖梢及

葉間開花如桔梗花未全開者作鈴鐸狀青碧色又有白花焉花罷結子作苞如筆頭内有细里子又有称蔓龍胆者其子如棗〻為異又有山龍胆或云即石龍胆非也山龍胆本邦多生冬月不凋為異也又有石龍胆邦名千振草又名當藥者是也詳見于本草彙言或以称春龍胆者亢之误也

细辛

諸州山谷多產以佐渡州之產為最春初宿根生苗葉似浮薔葉大者如掌小者如匙頭種甚多其莖高三五寸有青莖紫莖二種三月於葉莖極上出紫花形如鈴花開後如鐸結実如豆大其根细直毛紫味極辛按细辛以予所目撃殆二十余種

而其葉大小圓挟紋脉稍不同又葉面有白班点者粉條者又有如馬蹄之下者而根呆亦不同也唯不拘葉之大小自採試其呆燥乾可使用近世市貨舶来物粗悪決不可用焉又按中世以来葉如馬蹄之下而有白班者别称杜衡矣动則引杜衡乱細辛之言以為拠可謂無特操哉松岡先生謂杜衡細辛一物也杜衡古名而細辛者医家之私名蓋以根名之耳若時珍輩之説乃不合楚辞文選等所言也其弁詳見其著書中余不贅焉或云杜衡細辛全二物杜者冬凋辛者不凋又杜衡其花貼地似見不見且葉面白班根色黄白不同細辛則以松岡子為粗謬也而予曰不然若夫彫不凋及花少異松岡子不識之而

漫然為一物乎孰知其異以為一焉所以卓見也宜再思焉

石斛 斛

莖似木賊及竹節節節出葉似柳葉而一節一葉節上生根髭鬚其莖中実者不実者二種有焉開淡紅花又有白花狀頗類建蘭生于石者名石斛生于木者名木斛也邦俗以棕毛包裹其根以掛簷下為翫好一種至小者多麦斛一莖一葉而葉有圓長二種甚細小甚莖如麦粒附樹而生郊外間有焉

巴戟天

春生苗葉似茗及柿葉而小不相對其莖高一二尺四月出花

枝開花如鷹爪花深黄色結子圓偏其根横生成屈曲連珠之態外黄色内白色至秋苗枯也或据不凋草之名疑非真不可拘泥焉又邦俗称珠數根木者以為真巴戟其根成連珠形狀一如舶来物然而此種木本對葉每葉下有刺針秋結赤实根成連珠也蓋是小蘗鹿刺之屬而本綱巴戟附録所載巴棘乎又蘇頌所謂葉似麦門冬而厚大者或以和名茂治須利草充之非也有别充之一種而未决矣又按市中有數珠様摻様之二種此偽非二種也一種中而撰出之以欺人耳此物甚似數珠根木而舶物者葉有細鋸齒數珠根木者葉無鋸齒為異或人曰温州府志曰巴戟即老鼠刺根

按鼠刺之名似也戟者有刺然不同諸家所説疑近日舶来者即是乎固非称樹棄草者舶物蓋非真也称樹之棄草者反可為真矣別有説

本經下品

孔公孽

形如牛角而大小不一然不有若鍾乳有大者其色白或帶淡黄光沢如石英中有孔通而肌理似鍾乳而不同矣尚可考

時珍曰蓋殷孽如人之乳根孔公孽如乳房鍾乳如乳頭也先輩多左袒此説非也按　恭曰状如牛羊角中有孔通故名通石按若恭説別一種而異時珍説以予視之珍説妄乎若恭説者本邦有焉与鍾乳同類異種也

殷孽

恭曰此即孔公孽根也盤結如薑故名薑石

銕精ノロカ子ノホコリ 或云カナクソ 鉄余頌説可参考
弘景以鉄炉中紫塵為鉄精 綱目殿竈灰余附方鉄炉中紫塵可参考
按綱目釈名云鐵花 按鐵花即鉄落也為鉄精一名可疑 又附方以鉄渣為一物未知是否 按先人云銅
花清王夢蘭秘方集験云即打鉄銅落衣以之考之鉄花名義
可想焉

鉄落テツノカワ 名カ子ノトヒクス 按打鉄落衣也 鍛治呼称花
鐵液名義可考恭説不易従弘景為鉄漿非也

鐵ニカ子
生鉄スク 又鍚カ子 熟鐵ナマカ子 鋼鉄ハカ子 以熟鉄又錬之十数日則成鋼鉄
二種有成塊者有如砂者和産多砂鐵者也 按日本造刀劍甲

天下故撰其鐵鋼亦精妙而所用之鋼鉄雖有數種而以伊豆波志佐宇二種為良材也又按俗人以南蛮鉄為良者甚非矣南蛮鉄者温生鉄不成用唯俗人不知之耳

鉛丹 タン 古称光明丹

鉛丹化鉛而成其法時珍載之綱目可考 我邦泉之堺制之

九光 弘景云仙經塗丹釜所須云化成九光者当謂九光丹以為釜亦無别法也 按錬化復言為鉛丹

粉錫 ヲシロイ 胡粉也 和俗称胡粉者蛤粉也非是

黒錫即鉛也制法見綱目 俗名唐之土者二種其上品者即胡粉也下品者白堊和胡粉少許以貨之也投火而成赤色者

佳

錫鏡臯　綱目銅錫鏡臯

珍曰錫銅相和得水澆之極硬亦

代赭

舶來二種市人称痣様者為良謂如浮漚子者即此也其色

亦黒而帯白有光破成片其膚似丁頭者有之市人称新渡又

称古渡者色赤黒有丁頭者少為下品近日和産未見佳者

戎鹽

戎塩未详綱目所説紛々不帰一也意則西人不详海産故於

塩亦甚粗而為番賈所欺耳我邦海船所齎来者為方校

如氷糖其色青黒或淡紅者有焉呆辛甘也蓋造制者不可信

又有青塩固偽物也不可用焉

大鹽未詳

綱目併入食塩條

鹵鹹

恭曰此是鹼土也　機曰即鹵水也ニガリ ニガシホ　時珍曰鹵水之下澄塩凝結如石者即鹵鹼也　先輩云積塩之下生土中作塊白色破之如塩成粉其呆鹹也天雨則消了以予視之恭説近是也

青琅玕

諸家無決定之説近日海舶齎来者似珊瑚而青碧色擊之

有音蓋物理少識所称青珊瑚者也先輩以之為断按然其生所不詳焉我邦大海底多産珠樹而琅玕之屬亦多而其色赤黒或淡紅或帯青者而青碧色者絶少故未決云

礜石

和産未詳石州産鼠殺石可考又越後出雲同名者其黒灰色而異於石別産者也　淮南子曰弱土之気生白礜石礜石生白澒條時珍引之　此説再考　陳司成黴瘡秘録此石難得徧訪薬舗無有真者偶得之宦族仕上帯帰約有數十觔視之形似滑石扣之坚剛碎之如漿絡

石灰

風化水化二種綱目頌説可考　近方所焼以武之八王子産為上

白堊 シラツチ イニリツチ 歯ミカキツチ 即房州砂也粳也
粳米土 堅無粘滑 糯米土 柔有滑
附子 烏頭、 天雄
烏頭附子天雄三種其説紛々殆難弁別焉蓋所其論非臆度則傳聞也耳以予視之附子者即烏頭之一名也其形似烏之頭故以烏頭名之生芽之形如烏之喙觜故復称烏喙此者其性好附子子根故又名附子非以附塊根之子名附子也彼以為今年植烏頭而明年生附子誤哉今年所植烏頭指何物耶若其旧根則腐而不堪植且形不似烏之頭不应烏頭之名矣予故曰烏頭者附子之一名非予大造附子者採今年之附子以植之則明年附子子根年々如斯非

有別成烏頭者也植之而至明年不附于子根者間亦有之謂之天雄是其自然而非人為故曰天不附于子根故称雄何有異論又彼以草烏頭川烏頭為二種也其說已見唐則秉舊矣而時珍弁之曰根苗花実並与川烏頭相同俱此係野生又無醸造之法可怪哉有何据以本経之烏頭為草烏頭耶且若其川烏頭其元非野生而何矣古採薬于山野悉是野生豈有家植耶而彼将言以醸造之故変粗悪為良善殊不知凡古薬品可親自制也豈唯附子而借他人之手而醸造之有不可解莫甚焉況薬物以制造変移其性力則可謂非其品乎不用而為可焉彼輩所謂草烏頭者我　邦多産俗呼烏甲草即附子中之下品

不堪用也又按烏頭附子天雄出各條意則後人之所為宜併三品為一條而弁其品類再若夫三品之主治徒增損文字以不過眩惑後人固非有各二殊功也学者熟察焉

附子

宿根生苗高三四尺有青色者紫黒者葉似石龍芮及艾而偏大其花有白色者淡紫者碧色者作穗其実細小如桑椹状黒色也根形如烏頭故名焉保昇曰正者為烏頭両岐者為烏喙細長三四寸者為天雄根旁如芋散生者為附子旁連生為側子五物同出而異名按此説得之也蝦夷産皓実如巻丹有毎葉之間為異不可用奥羽産烏頭毒尤甚不可漫用市中芋様事

林慮记可考物理少識
附子造法可考

烏頭

時珍曰处々有之根苗花実並与川烏頭相同但此係野生又無釀造之法又附子條本经所列烏頭今人謂之草烏頭者是也故曰其汁煎為射罔陶弘景不知烏頭有二以附子之烏頭注射罔之烏頭遂按諸家疑惑尒々按此説妄謬可謂毒後世哉夫烏頭以川産為

致

天雄

按烏頭不生子而独長大者是也而雄之義了想焉又按附子烏頭天雄三種効力相同不可拘泥也所載主治雖文字異熟読之則無毫異学者察焉

半夏　カラスビシヤク　東國下品　西國上品　周防上品　实者佳

原野所在多產春生苗一根一莖高三五寸至尺許莖頭生三葉浅緑色似竹葉其根圓一根二九上小下大其根可使用小根者新根不堪也莖生一莖開花白色似芋花及天南星而甚小也又一種有董葉莖根大者又有莖葉有白毛開紫花者雖類异不可用矣採大根洗去外皮暴乾即使用焉市貨者諸列多出之撰堅实者可用称麹半夏者不可用焉

虎掌

春生宿根一根一莖似荷梗而梴高者二三尺許淡緑色有白斑点其葉似蒟蒻分枝枝頭各一葉如独脚蓮又兜兒傘之態夏中心

莖未開花淡黄色如一片蓮亦似半夏而大有青白之柳條也花罷結実纍纍如蕳陸紅赤色其根圓扁大小不一出叢処有鬚根又莖紫斑点者即班杖也今市貨者混合二種以無害也又一種邦俗称浦島草者或以充虎掌蓋因蘓頌及本草彙言等以天南星虎掌為二種之説雖非無理然可通用耳以無殊功也也又称雪持草者有之亦其品也予別有説

鳶尾

我邦多産葉似射干蝴蝶花而濶春夏交抽莖一尺許開花六出三小弁紫碧色有白斑点結実作房中有子綱目珍説億度妄言恭説確可從焉

大黄、

初生如車前子其葉面皺撥亦似焉及長抽莖帯紫色高八九尺如竹葉大者如扇似白桐葉而大附莖之葉漸々隻出穗分枝開花青黄色如羊蹄花花後結小子其根大者如斗小者如盌緄根如牛蒡而黄色塊根破之有紫地錦文也今日諸州多植焉羊蹄大黄、山大黄、酸模等其類品而不及眞者然亦有効力也市中昔年所貨皆舶来所謂牛舌穿根二種也耳近世稱舶来者如一土塊而半腐爛用時可詳焉

葶藶

甜苦二種之說我邦先輩以為一種中而有其子異甜苦之別焉

以予考之不然雖形狀相似非一種也称甜者近郊多有之冬生苗葉似鼠麴草而圓短春抽莖六七寸開淡黄花如薺之態実亦似薺更圓扁春夏交枯矣此即甜者也不堪藥用焉若苦者乃不明也校閲諸家之説皆不詳或云西國有之亦不詳也市中貨者偽雜之甚不可用焉近世一種草藝苑名紅毛薺以為紅毛産甘草葉似薺花又甚細其莖如蔓高尺餘柔軟難独立也仲夏開細白花六月結実似甜葶藶而小圓扁兼辛以此物苦葶藶也然其莖苗秋猶存且無其効矣又拠郭注尔雅則和名大薺又名菥蓂者是乎而其莖苗深秋亦不枯委共難可從焉按董仲舒云葶藶枯于仲夏欵冬華于嚴霜拠此語以考之苦葶藶者即救荒本草所

載過藍菜是也此物四月中必枯萎其形狀似甜者更大好生麦田中春開白花結実似榆錢狀而小内有細子如蕿子呆苦辛結実能如薺而麦熟時子亦熟可採用焉和名軍配薺又加良加良又常州方言中作云試之甚有効可為真矣又後世注月令者多懸空之説也不可從

桔梗

形狀世人普識焉花色变態百出為藝家之賞耳菜用唯此紫碧單弁者為良市貨和産不一船来共不佳不可用也冬春之交掘採連皮曝乾可使用矣

莨菪子 ハシリトコロ ナツキヤウ

冬生宿根冬秋交枯萎也莖高二三尺似商陸而作枝條延長其
葉亦似商陸而略長互生春葉間出細莖開花紫色似酸醬草花
其蒂三寸許花謝而蒂猶存焉根如生姜而赤黑色誤食之令人狂走
云按諸家説不明暫從先輩説予别有説

草蒿 即青蒿

宿根自冬生苗似胡蘿蔔葉又如黄花蒿葉更細纖色深緑
色春抽莖分小枝高三四尺梢葉細如毛其氣芬芳著手難去夏
莖梢葉間出小穗開小白花似天名精花細小其葉盛時採收曝
乾即使用其莖根及子無用也世人間混採黄花蒿以形狀相似
也可詳焉

旋覆花

野原多產春生苗葉如柳大莖高一二尺夏開花如菊花而銅錢大深黃色單弁重弁大小數種採花不全開者日乾使用又花色帶紅帶白者有之蓋變生奇品也不可藥用

藜蘆

郊外在處有之以野之日光多產名日光蘭春生苗似初出椶心高一二尺叢生莖似葱青紫色有黑皮裹莖似椶毛夏秋之交抽一莖分小枝開數朶小花紫黑色白花亦有花後結莢莢實有三稜內包細扁子其根如葱鬚根附之称葱管者實然用時連葱管鬚根日乾使用又一種藝園称梅惠草者或以為真蓋須所謂葉似

車前者乎而又舶来之根全似之然非也别有説

鉤吻

蔓生初生小者纏繞木石如地錦及倚大木ゟ長大其蔓如柱如樹延數丈其葉如柿一枝三葉有光帶黒色葉間開淡黄花結小圓实又一種黄精葉者俗称毒字津木其葉似黄精莖赤色花实似南天燭熟江觀美详若水先生所著鉤吻弁中又一種芹葉者俗名大芹又名毒芹先輩謂生江州膳所者是也其他甲州亦多其葉似白芷花似水芹固水草而下湿地亦生也又一種似水芹開莖花者有之金匱要畧所謂似芹葉者是乎先人所著董類或問中弁之今不贅

射干

山野多産人家園圃亦植焉其葉扁生如鳶尾緑葉横鋪宛如翅羽近根之莖有節如竹夏秋之間葉中抽莖如萱而強硬長三四尺莖末分小枝枝開花六弁黄赤色有班点次早互相交紐如結又紅赤色者黄色者有焉奇品也秋結房実中子黒色大如胡椒根似菖蒲生姜輩生芽時掘採根日乾使用按震亨時珍輩混合射干鳶尾大誤焉先輩已弁之

蛇含

蛇苺中之一種也全似蛇苺唯毎枝五葉或七葉為異春着地作小蔓延茂開黄花如蛇苺而小結紅実亦如蛇苺而不鮮和名

男蚍蝣也先輩説暫從

常山

和名小臭木此灌木非草也春生新葉似辛夷光沢有臭氣三四月開花四辨青白色四五朶簇開葉間花後結實亦二三爲房簇生唯葉不相對爲異焉又称茶葉常山者有二種一似茶葉微圓一有岐又共葉兩々相当採細根及近根莖暴乾使用又海州常山者即臭梧桐和臭不此物亦治瘧然非同類不可用焉或云邦俗称山阿紫佐異者形狀及効功符彼輩之説應爲真也然不是聊有管見

甘遂

有大小三種大者莖高二三尺青白色葉似柳又如大戟而大其根作連珠之態根色淡黃花実同小者試之雖効功甚有力其味苦澁殆難使用焉小者形状相同唯小耳莖赤色莖葉掐之有白汁亦如大戟也此等屬莖頭凡五葉中分中抽小莖五枝每枝開青白色細花亦有淡黃者其根紅黒色作連珠之態微異海船物而効功勝於彼又作連珠者有形状全同唯大於小甘遂耳正月掘採根日乾可收貯也按甘遂大戟等種不一易混而根状自別矣

白歛

春生苗藤蔓漸延茂初生葉似紫葛嫩葉及長作五岐大者

四五寸許有踈歯其形状無類似之可比者茎蔓紫色有節每節生一葉對葉出鬚蔓一條以纏繞竹木叢開細小花黄白色簇生矣鬚蔓頂结実大如南天燭子熟色碧其根似天門冬褐色大者如雞卵一株下有数根也孟春採根日乾焉市貨者不可用

青葙子

原野所在有之雞冠花之屬也故称野雞冠其葉初生似柳而尖及長一茎直上多枝六七月每枝頭出穗花似雞冠花之態唯花穗尖長三四寸上紅白亦有黄色也而状似筆故又称筆雞冠花後结実黒有光々雞冠子無別　按此主治蓋青蒿之主治乎二品共

有草蒿之名故似彼是误写焉

雚菌

秋经雨叢生蘆荻中 張傘莖長灰白色 和名荻菌又名芦菌形状微似鬼蓋雖無毒不可食時珍曰雚當作萑若雚音觀乃鳥名夂萑蘆無關弘景曰鸛屎所化生共不可從按夏小正七月莠雚葦 淮南子萑葦之萑皆作雚急就篇曰雚菌楚辭天問朱注曰雚芄也夂萑同以之考之雚萑古通用耳

白及 和名シラン

春苗生旧根葉似藜蘆短濶抱莖生春夏交一科抽一莖開花如建蘭紅紫色亦有白色無香氣 其根如菱作

白相連節間有毛正月掘採日乾

大戟

種類不一苗葉如甘遂而莖不紫根似細苦參皮黃白色或帶淡紅又有生紅芽者又小葉細葉圓葉有葉光不尖者花色淡紫黃白等有焉植其數品以应详分别也不能筆记唯宜以深黃花者為最其他亦有效力可使用市貨以綿大戟稱上品色紫柔如綿今日海舶所齎來偽雜甚不可用也稱和產者亦不可用焉大戟原野甚多可自採收市貨者決而勿用矣

沢漆

諸家為大戟苗也唯時珍非之而説其形状者原野多有之葉

似馬齒莧有細鋸齒閑青緑花実熊類似大戟也此亦種不一也详之乃大戟中之一種耳可通用而其効功不及大戟苗矣

茵芋 和名ミヤマシキミ

小木非草也茎高三尺許葉似瑞香葉常青秋冬梢間作穂開碎花粉紅白色結実紅色似樟柳実而至春存在觀焉

貫衆

冬夏常青好生山陰一根数茎其葉両々相對如狗脊之熊又似鉄蕉葉而甚短小其根状如伏鴟鬚根附之無花実也類似者甚多可详焉江戸藝苑称獅子頭

牙子

先輩以称大根草者充之此物原野多産莖葉似水楊梅有毛
茸按諸家説牙子者不明難決矣蘇恭曰馬鞭草葉似狼牙
又本草原始曰馬鞭草苗葉如狼牙以此等説考之称大根草
者近之耳又韓保昇説則俗名雉子筵者即是乎郊外多生苗
似蛇苺亦似蛇含有五葉者有三葉者葉邊有鋸歯其開単黄
花似蛇苺其莖如蔓而短以主治則大根草是也金瘡出血小兒無
名疰物婦人陰蝕

羊躑躅 蓮華ツツジ 黄ツツジ

形状世人普識焉小樹高三四尺葉似桃葉花黄似山丹五出蕋弁
皆黄也此類紅躑躅石岩花山躑躅杜鵑花有之唯以花色黄者為

真

芫花　和名シゲンジ　サツマフヂ　丁子ザクラ

小木高一二尺二月毎枝簇開小紫花四弁如丁子之状先花後葉先輩謂似水蠟樹葉而甚小実然枝葉對生有茸毛不結実宜揷枝能活也市中貨物偽雜不可用焉自採花未全開者暴乾可使用也

姑活　別覊　不知

商陸

人家園圃中及郊外多生形状世人普識不俟言也或云花色赤根色亦赤者有毒未知然否而山原有數似者可詳撰

焉

羊蹄

原野近水処極多葉似萵苣而狹長葉先尖長者尺四五寸許似牛舌之形春夏交起臺三四尺每葉間出穗開碎花花葉一色結子三稜似蕎麥而小秋成黄赤色以相似名金蕎麥也根赤黄色大黄胡蘿蔔之輩此物殊効功多而非新采者則功力

減

扁蓄

春多生原野道旁其葉似地膚子葉而不尖不相對苗高一尺許弱莖作枝條如蔓保節莖葉間開細花粉紅色結細子

狼毒

先輩之說不詳按世充莨菪者和名波志利登古路即是狼毒也其草冬春生苗圓莖分條高二尺許似商陸五月枯其葉亦如商陸而微細長晩春葉間出花紫色似沙參花而細小結子似白英而青色其根似草薢按狼毒莨菪蓋同物而後人誤寫為二種耳夫莨菪之外無別狼毒故乃彼方遂彼方人常以蔄茹僞之也蔄茹條可併按焉

鬼臼

和名以矢車草充之或云非也矢車草者即正字通所謂獨脚蓮是也

鬼臼者生山中一根一莖莖頭生葉如螢休之態七八葉如傘葉下附莖

出細莖一花下垂似沙參而淡青色内紫色有金色細班点有黃蕋
也花在葉下未常見日故名羞天花以之也其根为白微似白芨也
市貨鬼臼偽雜不可用郎以矢車草根偽也而若療子死獲中方
矢車草殊有効矣

白頭翁

春生於宿根似防風葉而頗粗一根出數葉有毛茸春夏交
抽莖一尺許有小葉抱莖又出小莖每莖頭開一花下垂如鈴
鐸紫色黃蕋也花後白毛寸餘皆披下似毒蘇又一種有俗名久津
和加羅者莖高三尺其葉微似勾某抽莖出花十數附莖下垂
如毒蘇或云頌所说即是未详然否矣菜用防風葉者有効力可

使用焉

羊桃

爾雅云萇楚銚芅郭云今羊桃也諸家以此說為的拠唯正字通引六書故言羊桃藤長丈餘可以為梗萇楚詩以枝言不以蔓言乃為二種可謂有是也蓋萇楚古来不明且說詩者不致考索殆無所考拠焉陸璣疏云萇楚今羊桃是也珍綱目亦萇楚羊桃為一種以說其形狀者我邦相例俗稱涎卯木者是乎然詩之萇楚者別一種似瓜蔓草別有說按寧波府志云獼猴桃一名羊桃凡草木之一名雖異種異種同名者不少故以不可必拠然予竊有考

女青

或云蛇銜根也蘇恭非其說是也汪機時珍等為兩可之說彼徒每〻多加斯之言不足深論焉我邦先輩以称女花又名臭花者充之此物初生葉甚似蘿摩及長引蔓纏竹木其葉兩相對大小圓長不一而莖葉並有悪臭莖葉間簇開小花内紫色外白色秋結実生青熟黃色如菉豆大又云蘇恭云実大如棗〻許或人云称加毛女津留者即此乎然未知是否而称臭花者近是乎闕疑矣

連翹

木蔓有二種共木本非草也蔓者其枝條柔軟依物而生懸樹木

之枝如垂柳之態其蔓長者及數丈一種如牡荆樹不甚高其葉似水蘋而挾兩〻相對花罷出葉正二月開花金黄色四弁似喜金水碗而弁長每葉間出花可賞焉蔓特皆同其实如椿实未開者兩片合成其中有仁手搓則中解二種共可使用唯蔓者結实稍少耳按彼方人不深識連翹多因傳聞為説又混合鱧腸草誤之甚先輩已弁不復贅

石下長卿

春生宿根原野多産初生似柴胡其葉細長似瞿麦兩葉相對抽莖尺許分枝開黄紫色小花下垂俗称鈴柴胡罷結角实長一二寸似蘿摩子而甚細長其内如絮而子仁有焉根如

細辛有香気又有蔓生者大葉者細葉如糸者種類多効力劣
也或云徐長卿石下長卿非一物也救荒本草所載白薇者此真徐長卿
又保昇所謂苗似小麦者即同一物也其石下長卿者即称鈴紫胡者
是也按入門已出二條不言所拠難従焉暫可以二種為一物也

閭茹

冬叢生於旧根其茎葉似大戟紅紫色及長而青色春茎高二尺
許如大戟之態葉先不甚尖断茎葉乳汁出茎頭生五葉分
小枝開花悉如甘遂大戟輩花実亦同而閭茹甚将枯萎則
葉花成黄紫異大戟之輩其根如蘿蔔蔓菁状破之黄汁出
凝黒如漆又有白閭茹或云和名竹ヤビ林蕎麦未決俟後考矣又聞

彼方人以此偽狼毒葢然近年以䕡茹生根称狼毒齎同来今已多都下焉予乃謂狼毒即莨菪之一名誤寫出二条耳莨菪之外無狼毒則其勢不得以他物不欺之也学者熟察焉

烏韭

好生山巖陰地類巻柏無株而軟柔高者三四寸亦有布地生者無花実冬夏常青

鹿藿 ノマメ タンキリ豆

原野多生蔓延葉似扁豆甚小一枝三葉有毛茸夏葉間開小花淡紫色花後結小莢実至秋熟紫黒色亦有黄赤色者其子大如椒目黒色光沢又葉似小豆者名野小豆似豇豆者名

野豇豆其他類種多

蚤休

江都近郊無產近年自加賀州來植難活俗名花蓋草其苗一莖直上高七八許十葉圍一層如翠蓋似天南星之態夏葉心上又抽莖一寸許莖頭開紫花一朶十弁亦如蓋黃赤色市貨者撰出甘松中如海蝦者以貨焉或云此即拳參而非蚤休也按諸家之説云蚤休作二三層今我邦所產者唯一蓋而未見數層者也又一種莖高二三尺葉挾長似天南星作二三層莖梢如穗分小枝開淡紅白花其根如大甘遂亦肥畠蒲長者五七寸羽州湯殿山淨土口地名多產土人名梵天草也

再详之蚤休与重楼金線固二種非一種矣称花蓋草者蚤休而呼 梵天草者即重楼也諸家混為一恐誤焉

石長生

相州箱根山中多産故名箱根草生山陰樹下叢生作一窠一窠數十百窠不与餘草雜也茎高七八寸或尺余黒光如漆分小枝其葉甚細小形如薺実而茂密冬夏常青秋葉邊生小黄点蓋花也手移植多不治也一種類似者和孔雀草又名黒荻其茎葉相似唯至茎高四五尺许冬即枯異石長生

陸英 和名ソクツ 木英 和名ニワトコ

春宿根生苗高六七尺分枝如小樹其茎葉如木英樹其葉似

紫藤葉而大兩〻相對有細鋸齒葉開白花蔟開四五寸許
如傘似五爪龍花結圓實生青熟紅大如豆按陸英蒴藋為一
物又以木本為陸英一名接骨木以草本為蒴藋意則二物可謂雌
雄耳今從一物之說矣而通利大便又煎湯浴折傷等木英最有
力

藎草

我俗以称加利也須者充之常為染黄色之用故諸州多植於水
田其葉如茅而細長抽莖生穗苍一二莖世人所熟識市貨不
女也而從恭之說則形狀不的当故先輩以呼小鄉草者為斷按
焉其葉如小竹葉而短小蔓地而生不能立也秋生小穗充此物

亦能染黄色好生原野陰処非種植也按藎進也古者貢草入染人藎總称可染之草而謂之藎草非指一種也諸家不深考遂為一種之菜物強以説其形状耳予不信焉

牛扁　犍牛兒苗　和名ケンノシヤウコ

救荒本草所載以犍牛兒苗充之然蔓生而無根又其一種特帯有根者以称風露草者充之按二種共未穏或曰近日藝苑有称韓種秦艽者名呼伶人草其葉似烏頭葉莖高一尺許葉不對秋間淡紫花亦似烏頭花而小又有黄花者其根成羅紋交斜此種我邦國多有焉是即牛扁而恭所謂根如秦艽者是彼漫為秦艽乎妄謬哉此説可從矣

夏枯草

和名空穗草原野多產市貨即是而海舶物亦同焉近日海舶來空草亦我所謂空穗草也而救荒本草所載似不合故一種俗称十二衣草者充之其葉似柳而末䅗青白色又似雞腸兒兩對葉背帶紫色莖葉共有白毛夏莖高七八寸三四月莖頭出穗開細花白色帶淡紫如紫蘇穗之態花終莖便枯而別生新葉秋冬猶存矣按二種品類不相遠而若治諸血症空穗草頗有効別有說

蜀椒

和名朝倉山椒是也朝倉但馬州之地名也今乃諸州多植焉蓋

椒中之絶佳者世人所普識也按彼方人動則称薬物蜀産矣予恐庶不知上古医人有蜀産秦椒條可併考又按我邦俗呼椒偏称山椒甚非也不可加山字焉

皂莢

樹葉如槐及合歡葉其嫩芽以為蔬食枝間多刺夏開淡黄細花結実似豆莢而甚粗大長虚長一尺許薄扁生青熟赤褐色中有仁如大豆而薄扁也薬用採莢之肥厚不蛀者去内仁洗浄細剉即使用其子仁及刺各々有主治又有猪牙皂莢者和産甚少入薬亦少貨市中者舶来也

柳華

我邦柳有大下垂小下垂等三四種而彼亦有垂柳官柳等數名也春初生柔荑即開黄蘂花長一寸許形如毛蟲蘂落而絮出因風而飛又一種其枝楊起而不下垂者名楊亦種類不一矣而楊柳二樹一類二種耳按以柳絮爲華之一名諸家弁其誤者難從焉别有説

楝實

葉似㯃及槐而尖其木皮有青赤種而青者也三四月開花淡紫色數朶成簇芬香而老木心亦香也實如小鈴結數果名金鈴子生青熟黄有甘苦二種江户近郊多野生然果苦者其種甚少

郁李仁

人家園圃多植焉高三四尺許叢生三四月花繁色外淡紫色内白色亦有白花者花罷出葉似桃葉而小有細鋸齒結实如櫻桃熟紅可啗有核内有仁入藥用又一種有花大而千弁者称庭櫻不結实彼方所謂玉蝶花亦名喜梅即是也

莽草

諸説紛々無明解焉先輩從沈括之説以和名志幾实又名志幾非者充之似是矣又按言奥説即亦宜為志幾非乎沈括補筆談曰世人用莽草種類最多有大葉如手掌者有細葉者有葉光厚堅脆可拉者有柔軟而薄者有蔓生者多是謬誤按本草若石楠而葉稀無花實今考木若石南信然葉

稀無花実亦誤也今恭草蜀道襄漢折江湖間山中有枝葉稠蜜團欒可愛葉光厚而香烈花紅色大小如杏花六出反卷向上中心有新紅蕊倒垂下滿樹垂動揺然極可翫襄漢間漁人競採以擣飯飴魚皆翻上乃撈取之南人謂之后桂又云唐人謂之紅桂以其花紅故也又云不知何縁謂之草独此未喻　按謂之紅桂者蓋以其木皮紅且香烈故名之乎未見闕紅花者也

雷丸

市中舶来多形圓如木患子甚堅実皮黒肉白生竹林中竹之餘氣所皓云猶松之伏苓也和産甚稀

梓白皮

和名雷桐又名雷豇豆也尒雅翼曰室屋間有此木餘材皆不復震我俗蓋拠羅願之說以命名焉乎其樹春生新葉似桐而小對生無鋸齒其花作穗簇開如胡麻花亦似桐花而小花後生莢角實長一尺許如豇豆二三十條下垂冬後葉落而角猶在樹或云和名雷豇豆者楸非梓也梓者和名赤芽加志波者是按梓楸之說紛々難歸一也先輩從草木志畧非齊民要術之說以楸爲雷豇豆矣予拠齊民要術也別有說

桐葉

和名綫利　形狀世人普識不俟言也花色有紫白二種共先花

後葉後結実似黄葵内有扁子種之易生賈思勰云冬結似学者乃是明年之華房非子也実然按以桐名之者多故混合亦不必別有考

石南

諸説紛々混説石南花石楠樹石南條三種殆難弁別焉先輩以衡嶽志所載為的擬乃今称石南花者是也其葉似枇杷葉而甚小葉面緑色背褐色有毛三月枝梢開花淡紫色亦有白色者如躑躅花而攢簇數十花也

黄環

沈括補筆談云黄環即今之朱藤也而説其形狀且云謂之

紫藤花者是也未知然否又陶弘景沉括其以蜀都賦所謂青珠黄環者為同物以予觀之賦所載之黄環者蓋指玉石之屬似非草藥也可考焉

溲疏

未詳按如恭之説者有之可考索焉

鼠李

和名三津女又名三津女佐久羅其樹皮似桃而帶白其葉如李及桃而微大三月如穗多開細小白花不堪賞其實如穗似呉茱萸熟青黒色此実似弥宇波美曾者不可誤混焉或以黒梅莢止木充之非也

松蘿

山中生松杉等樹如絲而白色帶綠小者五七寸長者三四尺生枝亦如絲千百條下垂無葉無花也和名猿尾加世又名弘法之數珠此亦寄生之屬也按松蘿本名女蘿詩云蔦与女蘿施于松上蓋名松蘿擬此詩而稱之而已嘗見某書今忘其書名

蔓椒

先輩説云此即椒之野生者而非蔓生也野椒生於石間瘠地者枝條如蔓非別一種也按野椒中一種枝莖軟弱者有之蓋指為蔓乎椒之蔓生者和邦未知産焉而正字通謂産廣東蔓生者廣東新語曰椒苗蔓生莖柔弱葉長寸半枝上縮子相對黑光如漆

謂之椒目葉晨開暮合合則卷其子於葉中若閉目然若此說似混合椒胡椒二物也正字通所謂蔓生椒者疑胡椒乎其說恐出傳聞乎俟後考

欒華

葉似楝而大無光沢隻枝末出穗尺許分小枝開黃花矣下垂観美也子似酸漿而小其中有実数粒豆大堅硬有黒光爲數珠也邦俗名楝葉菩提樹

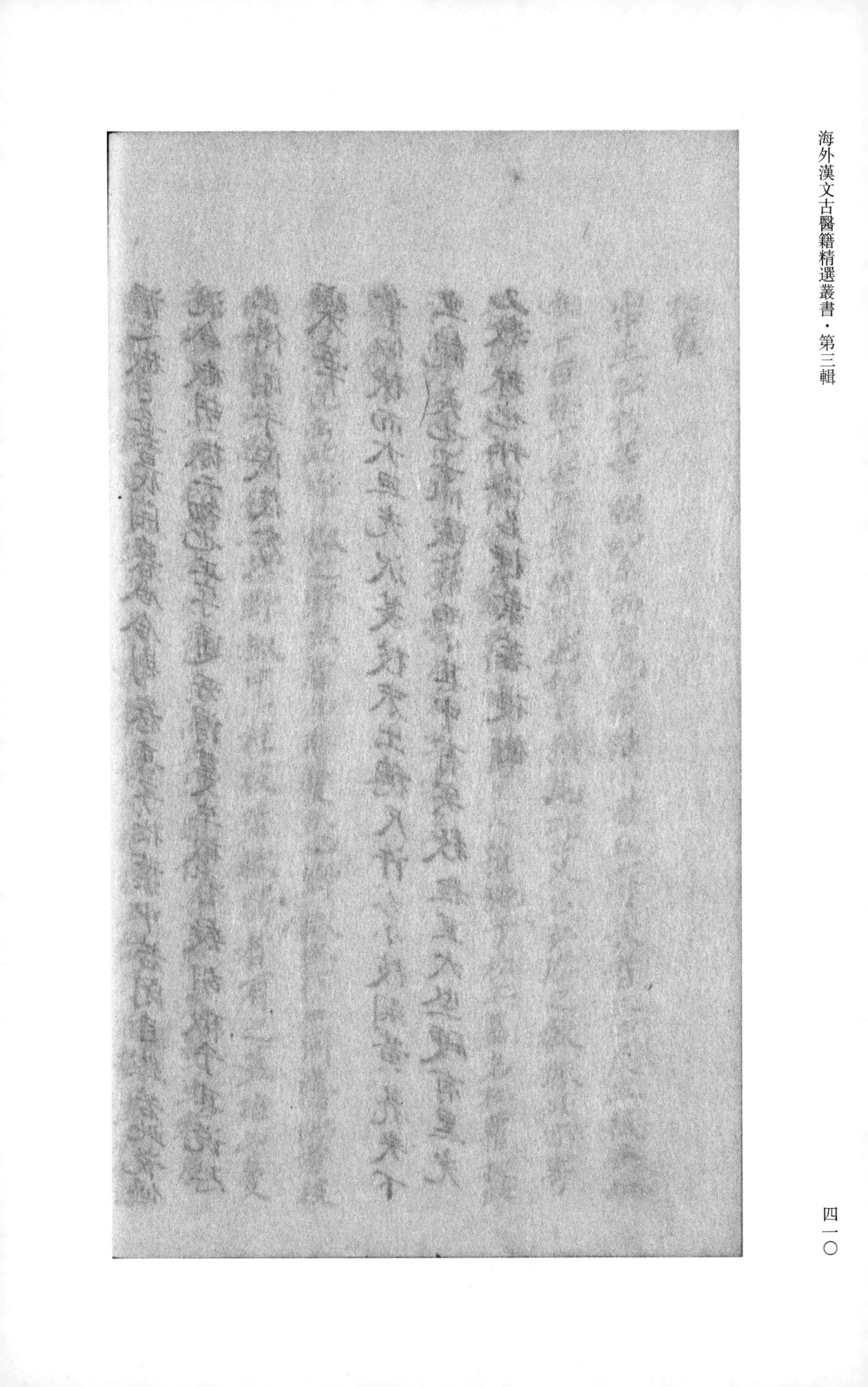

本經臆斷中品

雄黃

邦俗偏称鷄冠石形塊如辰砂而質脆其色深紅塊之大小不一以無臭気者為良而近世船来物澆之臭如硫黃為下品也市貨皆以醋洗之故光沢無如臭氣也然亦有切力可塞闕耳我邦南部上品其他所産未見佳品

雌黃

市中称石雌者是也形塊大小不一有大如拳者其色黃有金光而似雲母甲錯質脆易碎下品者帯也碎之淡黒不成片也和産甚少未見上好品　按雄黃雌黃之屬共金氣熏蒸所

生煆之其氣如蒜矣近來市中称画家雌黄者即蕃黄而固黒類有毒不可混焉按文武天皇三年下野州献雌黄見續日本記蓋昔時産之于今時未聞野州産之矣

石硫黄 音留

我邦極多尤佳而信州地方上品者有焉生石間作大小不一有極大者市中立三品名目所謂鷹眼鸕鷀眼火口者是也鷹眼者色鮮黄為上品鸕鷀眼者色青黄為上品火口者色黄帯青為人家發燭之用為下品也火口硫黄色不青緑故為發燭之用者和青黛以上色天工開物可再考又有花硫黄土硫黄眞珠(チンサ)黄水硫黄等又按或云生有温泉之所也今試之無温泉処亦有

焉

水銀

火燒丹砂取之我邦西州制造焉近世水鑛者色灰白色其
質堅剛甚冷難握手也此腹中出水銀云或謂即白辰砂也淮
南子言弱土之氣生白礜石生白澒疑是乎然淮南子多寓言難全信
可再考又若澒海草澒等固妄謬天土間物々理豈識弁其悉
又以水銀升錬輕粉法本綱所載妄謬不可從我邦伊勢州
出之最上品捷法也俗呼伊勢於志呂比又稱波羅耶

石膏

和產東西諸州產之而奧之南部津輕等所產甚上品也山上溪

間如岩石而塊之大小不一或苔苺上之有難見者綱目所謂形段瑩
白細文密如束針正如凝成白蠟狀鬆軟易碎燒之即爛如粉
然又挾土石者有之可撰去此乃軟石膏也其硬石膏者亦多産
勿誤採焉按石膏硬軟二種諸家以為上也所用者硬石膏近世
所用軟石膏又謂至朱震亨始辯然以軟者為石膏千古之惑
始明矣蓋或然按石膏有硬軟二種而其形狀文理共無異惟
堅剛不同耳又近世稱硬石膏者非可為藥用学者可考
索我邦市中舶来石膏佳品可使用也但称水飛石膏者不可
用焉用時以生物為細末即可也一經火者為頑指水飛亦同不可用

磁石

我邦東西諸州多產而上好者少其狀似浮石黑褐色正堅重如生鉄丹含鉄砂石中有細孔其面有細刺毛焉石質有頭尾而頭指南尾指北尾而非四面皆吸鉄也能懸吸針處連三四轉不落者為良古舶來上品近日和漢共上好者稀少也又不能引鉄者名玄石其形狀全不異磁石而惟不吸鉄為異耳蓋磁石之最下品也予和產固多焉

凝水石

即寒水石也今市中呼寒水石者即方解石亦一名寒水石故混淆耳此均生於鹵地及積鹽之下精液滲入土中年久結而成石清瑩如水精塊之大小不均大者如指頭小者如豆

粒雖炎日者不融解入水則消化

陽起石

市貨皆舶來物雖有和産不多得焉奥之南部産上品或云近江州多産未知然否也西人謂以雲頭兩脚輕鬆如豬牙者為佳矣然其色白光潤如雲母又帶淡黄淡青者有之曾聞有純赤者予未見也市中間有假偽者可詳擇或云以石膏縣巻屬偽造之云

理石

奥羽二州毛下州有之似石膏無膏而順理細直如縷者以充之先輩之説暫從

長石
或云即硬石膏也近日下野州日光山産一種之石土人稱雪石以充長石暫從焉

石膽
我邦東北諸州産上品出銅處有之形如小石英塊之大小不定其色青綠有淡有濃見風日久則色變也磨鉄作銅色者是也或云和産毒尤甚矣裹紙貯之則有濕気舶來者不濕可以澄焉意石膽元有毒者宜以和産為真舶來抑可疑而市中稱煮粗容者偽也濁色不透明者為真透明而以火澆之成汁者必偽也聖人亦言之今試実然今市中貨物皆和産羽

別多出之海船者近年不齎来也稀称古渡而灰白色者乃
偽物不可誤用矣
白青 クンシヤウ
近世不舶来矣邦俗以扁青之色浅者使用未決詳之別一
種也
扁青
邦俗称岩紺青者是也摂州羽州等出上品其形如土塊青
黒色為末則色多浅故以帯黒色者為佳又有称花紺青者
未詳何物不可誤混焉
膚青

或云空青之一種未詳按即綠膚青別録所載非本经之品応削去

乾姜

初生嫩根名紫姜又子姜秋後老者曰母姜而菜市四時常

母姜有之如形狀世人普識不俟言焉採其生者乾之故曰乾姜

豈有別異論耶陶弘景之造說妄言可憎莫甚焉而世人

尊信之蓋流毒千載哉唯冬月採母姜無筋者淨洗去

皮切片日乾數日而收貯瓷器若逢陰雨焙微火亦可矣今日

市中所貨母姜根形肥大者多培養壤之故也煮之則帶

甘呆菜用為不可矣制造時可擇去之又菜市所貨者以母

姜投沸湯中少時取出攤草席上以石灰攪之日乾而収貯其
色外白内黒而坚実也决不可使用又有称生姜者比之灰制者
稍可而已原文以為生者尤良今試之呕吐及中風口噤者生姜尤
良其他不必然按地黄姜二種冠乾字以別生乾可怪夫凡百之
菜当用豈得悉採生者哉有候有時收藏以備其用矣然則
皆乾而已若姜地黄其根四時存然亦採之有時安二種以乾称之
但往年者不可用彼所謂六時者妄言也耳

葈耳實

即蒼耳也和名雄奈毛美而称豨薟呼雌奈毛美蓋二物形状
畧相似也葈耳初生如茄其茎葉亦似焉茎圓分数枝高三四尺生

枝不對葉亦差互葉邊鋸歯又有毛茸而澁秋間開黄白花結実枝梢形似枲毬圓小有刺着人衣至冬茎幹枯萎而如荊蒿也豨薟者方茎一株分枝數十高二三尺許節葉相對葉有大筋三縦文秋開黄花似天名精花結実似鶴虱夏月採葉暴乾用按綱目釈名混合訪之巻耳大誤不可拠焉

葛根

原野多有之春旧茎生苗引藤蔓尤長大其葉有三尖如小楸葉三葉成一朶又似藜豆葉而面青背淡秋作穗着花粉紫色似藜豆花結莢実如小黄豆莢似有毛其子緑色扁生嚼腥気根形長大者如臂而遠延外淡紫内白霜後採根洗浄暴乾使用市

中者性柔甚脫無効自採山野為佳矣按有一種野葛者固雖非葛撚然作藤蔓成三葉一莖之態微相似葛也不可不愼弁之野葛即鉤吻此至毒之品故附記焉鉤吻条可併考

栝樓根

春生苗引蔓葉似胡瓜小圓有五尖而對生有光澤毎葉间有鬚粘着竹樹甚蔓延又葉有多叉者変生不一也夏開花白色形牽牛花而花邊如綿糸又有帶紅色者結実如小甜瓜圓長大小種不均生青熟黃赤色内有扁子如絲瓜子仁色緑多脂狀如栝楼核而短故薬市称栝樓核様其根大者如芋魁而二三相連生切之白色有筋紋焉江戸近郊有二三種大同小異也又一種称又メテ

者諸州多有之根葉似王瓜而実圓是蓋王瓜之屬可為下品也唯奥
州産尤大而小児好食之雖采不甜美可邑

苦参

原野在処有之春三五茎並生苗高三尺許葉似槐而小夏作穂
長五六寸三四穂為簇如紫藤而不下垂開花黄白頗似小豆花秋
結莢実如蘿蔔子内有堅実大於蘿蔔子其根経二三年者长大

茈胡

原野多生春旧根苗葉似吉祥草而稍緊小有縱文抽一茎高
二尺許分數枝秋夏之交每梢開碎黄花作簇如茴香花而
小結実類藁本種之易生也市中称鎌倉柴胡者昔以出鎌

會高称之耳又蕪菀呼竹葉茈胡者俗名螢草此即獐牙菜也不可混
矣或云柴胡初生葉似韮及老莖梢葉似竹此非二種老嫩為異耳此說非也
昔年称南柴胡而舶來者其葉殆如竹若葉蓋是竹葉者然其根性
味與此種我邦亦産而甚稀固非称螢草者也又小中称河原柴胡
者即翻白草根也决不可用焉按別録云柴胡葉名芸蒿此恐妄謬
不知何拠而弘景漫引博物志所謂芸蒿形状以注柴胡矣芸香草
豈柴胡之類耶真按可憎而後世尋之不乃遂因似芸蒿之言以翻白
草充之誤益深也我邦間在遂非之臣謂如解熱表發非河原柴胡則
不効適辞哉縱使彼有解熱効以非柴胡者剽竊柴胡之名以用之欠
之不服善如斯乎又有称銀柴胡者妄也何則銀地名以其地所産佳故

稱之亦猶川芎藭漢防已也非别有一種矣其他說白鷴依鶴于上飛翔
又如邪蒿者最下也又有似針蒿者此等之空論誣惑後人学者奇想焉又按
茈或作紫諸家殆費弁通雅曰智怪本草於紫草既引尒雅之藐而紫胡
又引藐茈草唐本草注云茈是紫字竟作紫胡又証以相如之茈薑且云
此根亦紫色不亦誣乎又有茈蘺晉傳或効今史新立茈蘺此当流為柴蘺
此茈柴通借誣也

当皈

春生苗葉如芹而厚色綠黑有光澤葉邊有細鋸齒其莖紫色高二三
尺秋開花白色如芹花結實亦似焉大葉小葉二三種有之今東西諸為栽蒔以貨
也馬尾鑱頭等之種皆産先輩以海舶來者稱佳而近年無舶來物自

採山中自然物用試之最勝栽蒔者遠市中所貨者投熱湯中取
公暴乾以易黴蛀也或云黴浸灰汁不知然否又有称生当皈者
稍可而已或人曰馬尾鋭頭原一当皈也出人為者作馬尾出自然
者作鋭頭今試實然

芎藭

中世以来和漢通名川芎川地名可称川芎藭而錐從簡便然
非也春生苗葉似蛇床子葉粗無毛茸又似藁本葉色帯黄白漸
抽莖高二三尺秋開碎白花類水芹及蛇床子其根塊重実外黄黒
也内白乃所謂雀脳芎者也彼以產所地名命名甚多矣我亦然
不可拘泥而舶来者気薄故療婦人有癥聚者為佳和產気強多

用或発吐也市貨者堅実味辛者上品又一種大葉者比小葉者大二三倍之彼謂白芷葉者即是也花實少異也品最下不可用

麻黄

春生苗叢生直上莖中空寸寸有節色青極似木賊而細高二三尺許間作小枝者有之秋莖頭生花結実味甘如蘡薁之所説也江戸近郊多有之好生河旁沙洲上莫秋交采莖暴乾変黒色者不可也舶來者可疑焉先輩以為雲花子不可用矣余見于麻黄或問中今不贅

通草

原野多生遶樹藤生大者如指切之有車輻解其葉一枝五葉

無鋸齒又有一枝三葉者亦有鋸齒者仲夏開四弁小花淡紫色而三四作一朶下垂寸許亦白色者有之秋実如小瓜而長其内有白肉呆甘肉内有黒核又稀有肉色淡紫者市中舶来者偽物不可用先輩已弁之自採近根茎可使用中世以来混合通草木通通梲木之三名熟通草即木通若通梲木元異類不可謬説焉又一種和名牟遣又名常盤阿計比之通草葉甚厚大四時不凋夏開花六出淡紅色結実如通草而圓大也救荒本草所載野木瓜即是乎按市貝木通混野木瓜可撰焉

芍薬

形状世人普識不俟言焉花色変態以百数不可枚挙而薬用不論花

之紅白秋後掘採家園種植者擺去旧根存者取根形肥大堅實者去外皮黒洗淨日乾即使用此薬易蛀腐宜用心收藏也舶來者一種堅硬紅色蓋蒸乾者効力殊劣近世我邦倣造称眞勺薬也又称宇田勺薬者其原種出山生也今則久年栽蒔遂為一種之貨品其葉圓而背有白粉花紅毛又称信濃勺薬者葉先尖背不白根皮帯黒色香氣稍勝於宇田産言固山勺薬(俗称)非真也而和信之産形状共異非同物也又称赤勺薬者邦俗呼深山勺薬其花白色根横生色赤又或云尋常之勺薬曝乾之時逢天陰雨則色變帯赤者亦称赤勺薬也決不可用或曰以山錫杖根(俗称)偽充赤勺薬者非也山錫杖根如竹根非可混勺薬者也按別勺薬赤白以異主治固鑿説先輩已弁焉

西土人動作分説不堪可厭也若強欲分赤白乃其花白者為白勺薬赤
者為赤勺薬耳莫以根色論之然不有各々之異功則其為空論也决矣

蠡實

生宿根葉似石菖蒲蓀溪葦而厚勁其葉本近根処如二三捻之形
故俗呼称茲阿也女也其慮頭有如毛者人取為刷云実非毛乃旧葉
腐而唯筋條存也其葉間抽圓茎高尺許開紫碧花似溪蓀及鳶尾
花結莢実亦似溪蓀其根細長黄白色如乱髪綱目釈名混合他物可
熟察焉

瞿麦

原野多春生宿根其葉細長似地膚葉而色帯淡白其茎高二尺許

有節葉對生秋開花淡紫色花弁之邊有深鋸齒如糸如毛結莢実如黄連實之態内有褊小黒子也和名野奈天志子者是也又称石竹者称瞿麦者人家園圃多栽之花大如銭有白粉紅紫班斕数色子種者花色変態不一蓋草花中之嫵媚者也而石竹瞿麦家種者與野生者同類異種也又称紅毛産者比尋常者甚高大而花有香此種亦不一也葉用以野生者為良其種子不多故市貨以家種之瞿麦子雜偽之試甚無利害可通用按石竹瞿麦別為二種者或以花之單弁重弁等之異皆不可拘焉雖所見有少異然可為同種雌雄矣我邦称唐撫子又一種有濱撫子又名櫻撫子者別有漢名

云参

春宿根生苗莖方似脂麻高二三尺其葉亦似指广两〻相對比脂广葉稍
小而有細鋸齒秋成穗開花淡黃色又有紅色者深紫者白者花罷
皆小壳实内有子甚細小殆難見其根經數年者如薯蕷黃白色
乾之成黒色臘月或正二月採根暴乾又葉間開花而其根雖乾
不黒色者又葉不相對根色不黒者共不可用焉市貨舶上來不
及和産者良

百合 和名サ〻ユリ

原野宿根年〻自生一根一莖高二三尺葉似竹葉有光沢两〻相對五
六月莖頭開大白花長五寸許六出向下似卷丹花而内有紫点如久
年者莖未分枝開花二三朶其根亦如卷丹而小也卷丹者一莖直

上茎幹如指大而顛開五六花紅黄色皆実在枝葉間毎葉一子不在花中其他類品甚多可詳撰焉卷丹和名鬼百合市貨者卷丹根也可自採

知母 和名カラスゝケ

春生苗葉似韮葉先尖高二三尺叢生其抽茎為穂開花淡紫色結莢其内有黒子形如有三棱其根如姜好出土数可覆土市貨唯一品或云混鳶尾根不知然否

貝母

初春生旧根葉似葉似卷丹而柔軟色帯青白両葉或三葉相對一根一茎梢之葉細小而葉先出細絲蔓一寸許葉二間纏繞其茎高一二尺二

月莖梢葉間下垂似白頭翁花下垂淡黄色花心有葡點焉此彼所謂川貝母者而舶來同物也又一種有根莖大者或以為象山貝母未知是非也又一種頌所謂似蕎麦葉者本草彙言亦以之為正的而似此葉者如栝蔞葉者二種似為類栝矣而今時以似此者偏為藥用而他二種者舍不論焉先輩以称牛旁百合又名姥百合者充蕎麦葉者似是矣若樓栝葉者子有私考未决也以今考之以此葉者宜使用他俟後試云

白芷

春生苗葉似藁本及芎藭而甚大抽莖如獨活生肥地者高三四尺中空如竹其花実如大葉芎藭其葉花実有香氣此物種不一也唯細葉有香氣者為良舶來上品然以石灰粉之洗淨可用和産市貨者効為矣又

称父草者称嵐山羌活者称僧上寺白芷者皆類種也勿誤採焉

滛羊藿

原野処々多有之春生宿根先抽莖出花其花下垂似鐵猫兒之形故俗名鐵猫兒草其葉似杏葉及小豆葉上如有細刺莖紧細一莖三椏三葉故名三枝九葉草三四月開白花亦紫花者黄白色者有焉錨子状如蜘蛛故俗呼久毛幾利草有大葉小葉数種大者如掌小者如指頭又葉邊帯赤色者之至冬苗枯一種冬葉不凋者有也舶来不佳和産採原野可使勿論葉之大小但陳旧者無効

黄芩

莖葉如千屈菜而葉両對其莖高三尺許六七月開花於莖梢葉

間成小穗紫色亦有淡紫者花長一寸許而細長也結小黒子尤易生植其根新者内実旧者内虚用時刮去腐黒則佳舶物上市中称朝黄芩者和産也雖鮮芩堅実有油気味不佳為劣矣或云以博落迴及小蘗等偽售不知昔年然否又按諸方書有片芩子芩條芩之名不可拘泥焉

石龍芮

處々隨在多生下地水旁莖高尺許状似毛茛圓莖中空大如大指叉枝一枝三葉葉亦似毛茛而光滑葉端不尖春其交開五弁小黄花結実似楊梅而小長又如初生桑椹青緑色撲敲則甚細小如葶藶子田野人採莖葉似為蔬按本綱集解混合之也故諸家疑不

決焉唯珍之所説形状為確可從而若謂唐本草所出水堇言其苗也本経石龍芮言其子也妄謬可憎哉又釈名引禹錫説而亦載堇糸下不知何謂也学者可詳焉蓋以堇称之者不一所以為混同也見于家大人所著堇類或問今不贅又按毛建毛茛石龍芮三種形状相似可審撰焉

茅根

茅和名加也蓋總称其類也茅之屬其葉邊如刄去状利傷人故名焉而入藥者白茅和名佐々女詩所謂白茅束兮是也原野多生如菅茅和名加也其葉柔於菅茅長二三尺不抽莖三月生花出地上三五寸而外包白茸如綿兒好食其綿味甘俗称律花至翹春即成花如小蘆花茸々然花莖不甚

高不同菅茅之屬抽莖成穗花也其根牽連有節白軟如筋味甘可使用田
間人採其葉作雨衣或人云俾花者即血花也國音通也茅我邦古训知猶言
茅花也近日藝花以莖葉帶赤色者称血茅非是茅類有别说

紫菀

春布地生苗葉如木香而青緑色有鋸齒四五月内莖高五六尺葉抱莖
互生不相對秋莖梢生分枝開花如鴛蔺花亦有白色者根似細辛粗大紫
色也市中者不佳自採可使用或云和名兔乃志古草者古歌所詠即是此
说非乎非兔乃志古草指紫菀也

紫草

三月下種葉似黄芩及羅勒葉而大柔為不相對莖高二三尺許其莖

梢葉間開花如櫻花而白色無萼其蒂長有五朶花落而每蒂結実名一蒿似紅花実尖白色其根直而皮色鮮紫内白取根皮染紫色奥之南部產為良今亦人家園圃多種之和名紫根一種根生者

茜根

蔓延草木上方莖中空有節莖葉幷有毛刺史貨殖傳注徐廣以茜為紅藍蓋混同之誤四葉相對似烏葉葉無鋸歯而有縱紋每枝梢開穗花黄白色結実黒如小豆大其根細長如牛膝而黄赤色又有特生者形状全同唯不蔓耳又埜苑称肉圭草者亦特生按形状正相似此即茜草也

敗醬　黄花者和名ヲミナメシ白花者男メシト云

原野多產人家園圃亦植之春生苗布地生如蔓赤色六七月成莖直
上高二三尺如筋數寸一節〻間生葉枝葉共相對其葉似菘葉有岐如
菊葉而狹長有鋸齒夏秋之間顛頂枝梢開小黄花成簇如芥花
及蛇床子花結小實亦成簇黄如花觀美也其根頗似紫胡紫色莖
根作陳敗豆醬氣開白花者莖葉大於黄花者然不可古嘗焉且
効力甚劣而特珍唯說白花不及黄花者可怪哉又一種埜苑称楓
葉敗醬者有之以葉似名焉蘓恭所謂似水莨微銜者是乎

酸漿 和名ハヽツキ

春生旧根葉似天茄子葉先尖有光莖高二三尺其葉間開小白花結
実形狀世人普識焉其種類不一有大有小又朝鮮酸漿蔓酸漿

長酸漿水等有之又称酸漿者形状亡短小不過数寸分枝而花実略相似実老不赤蓋龍葵之屬也又有爵杖酸醬者甚相似殆雖弁唯実不同根亦異矣種固别也

紫参

山谷間多生舂宿根生苗似水葒嫩苗葉亦似之而小開穗花二三寸似野蓼花淡紫色直上其根如石菖根而褐色採根肥大者暴乾可用海舶混拳参根来而菜會以根形似蝦状者為拳参以似石菖根者為紫参也以根形二物固不同也唯自採可識其異矣拳参邪俗呼伊吹虎尾形状微雖似紫参葉花根形不同或以之充紫参亡誤不可混採焉

藁本

冬春白根生苗葉似水芹而大甚有香氣觸之則香氣難去抽莖分枝高二三尺有青莖紫莖二種其葉布莖不相對五六月莖梢開白花似川芎及蛇床子花結細実其根如芹紫色冬春採根暴乾而使用焉今日船来者不可用也或云有漢種之藁本未知然否恐粗妄乎今花肆及人家所植者先人始自駿州御殿場所得也

狗脊

黒狗脊者似狗草鉄焦者一根数葉莖本赤色有小刺其根大一握許有硬黒鬚簇之乾之鬚堅硬易折一種有金毛狗脊者称為上品其葉似蕨莖細又黒者少異其根如鼠狼有金黄毛焉此物有二三種

而金也者非有異効也黑者可使用 按萆薢一名百枝々狗脊偶同名身吳普固說萆而非言狗脊也時珍誤讀以非之却誤矣稱草鉄蕉者亦其一種也

萆薢

蔓生葉似薯蕷又似黃独葉而色黃白色亦似薯蕷其葉作三叉其根屈曲柔甚苦者俗稱兔登古呂者本草逢原所載土萆薢是乎一種葉如薯蕷而不作叉柔帶甘者蔬食之蓋三種而薬用以根黃白色多節三指許大而体硬味苦者為良此物生根軟往乾甚硬也或云三種可通用今試帶甘柔者劣矣

白兔藿

蔓生如蘿藦葉圓厚莖有白毛莖間開小白花作簇秋結小实如蘿藦子之態冬春採根晏乾使用藾云苑呼山加古女又富士山下吉田口多生土俗呼武須貧民採根伴飯救飢

營实

野生林塹間春抽嫩莖小兒掐去皮剥食之既長則成叢似蔓而莖硬多刺葉似椒有鋸齒葉作穗開單弁白花弁黄蕊似梅花有香最繁結子成簇生青熟紅八九月採实即细刻而使用焉称薔薇露者以此花制造也和呼花之露今日市中称花之露者别有添焉云又一種有淡紅花者似山櫻花是下品不効不可用也按營实根即墻蘼根此物也有功力而唯通老人大便閉之効及營实耳二四月之交採根為上時經年者不効

白薇

諸家無歸一之論也蘓頌所説者即所謂千屈菜乎若水先生尭之矣千屈菜我俗呼溝茅子也原野近水所多叢生而人家亦種植焉其莖有青赤二種高三四尺分枝條葉似柳相對又似黄芩葉六七月毎枝梢成穗開細花紅紫色邦俗採供祖先焉

救荒本草所載白薇我俗称鹿園草又呼弁慶草山野有之宿根出苗其葉對生如剪春羅又似女婁菜之瓣葉而長硬莖葉共毛渋開紫黒花結莢実内有白絨根如牛膝而短黄白色味苦一種有白花者批云死呼花立花又称白弁慶紫色者称黒弁慶也　或曰頌所謂白薇者即徐長卿乎以救荒本草可為証矣非也予試

攷其功効以溝芽子可為斷按也溝芽子者原野多産宜自採貯頗有効力

薇銜

薇所謂大者為大呉風草小者為小呉風草者我邦原野多有之藝苑家大者称樓噲草小者称長良草其葉如款冬之態而有數似兎兒傘更大抽莖開花黃色四五朶似橐吾也近日別有張良草者多紫異不可混焉或以兎兒傘為小呉風草亦似是矣兎兒傘俗名破笠而形狀似樊噲草然異類又一種称反魂草者苗高三五尺亦莖其葉殆似敗醬草而長大花如紫菀而黃色也此物或真乎此亦有大小二種

翘根 未详

水萍

生處處池澤止水甚繁茂滿水面葉大如豆許三葉攢生一處一葉圓大而二葉小也葉下有微鬚鬚即其根也一種背面皆綠者一種面青背紫赤者入藥為良一種葉如扁柏葉甚细小連綴水面其葉至秋背面皆紫色者即滿江紅也市中貨水萍者多此物也非是可擇焉按以鹿鳴之苹為蘋蒿大誤矣先輩已弁之今不贅焉附記時珍以田字草為蘋非也蘋茶菜是也我俗呼鷲鏡者藏器說可從焉蓋與水平者總呼為苹則可称荇菜之類皆苹故尒雅云萍其大者曰蘋又菸曰萍有三種大者名蘋中者名荇非田字草可知也

别有弁

王瓜

旧根生苗引蔓葉似栝樓無叉歧又似胡瓜有毛茸葉間出鬚蔓粘竹木夏開淡黄花又白色淡紅數色有之花下結殼実如鷄卵大上圓下微尖生青熟紅殼中子如螳螂頭其根如蕃薯切之無紋脉或為粉混天花粉不可為弁别焉按栝樓王瓜類相近試其効如鼠漏及通乳汁似可通用

地楡

処々原野皆有之春宿根生苗初生布地独茎直上高二三尺分枝葉似楡葉而稍狹長有鋸歯夏開花如椹子紫黒色又白色淡

紅黄色等有之其根横生而堅又有直根而柔者藝苑稱唐桂非也我邦固有焉効力不及横堅者船来効劣

海藻

蓋泛名非指一物也今用莘以保多和良充之有効力則可通用焉日本紀有名乃利曾亦總稱海藻耳非指一種也或為保多和良之一名者非也按益部方物畧記所載眞珠菜即稱保多和良者是也

沢蘭

多生下湿地莖方節紫葉似續斷狹長有鋸齒兩兩對節而生秋葉間開紫白花似薄荷花根白色似藕蒻有節也按沢蘭未决姑從先輩説矣

防已

原野多有之其茎甚蔓延葉類牽牛葉又似蘿摩葉而不相對或圓葉或扁葉細長者如柳葉圓大者如柿葉者大小圓長不均一種而葉形之変態不一也其茎葉共有微毛秋間開花結実簇生葉間色紫碧而圓似蘡薁而小切其茎根有紋如車輻解一頭吹之氣從中貫如木通然又一種稱漢防已者葉圓大如鴨掌或作五六尖葉背帶白色無毛茸其茎經年者大一握許截之亦作車輻解也藝莬名津多乃葉加津羅者是也其他類種有三四種焉用藥以尋常所多産葉似牽牛者為良葉之大小圓長可不論也自採可使用市中稱漢防已者稱爪防已者共不可用按防已固一種而後

世因漢木之名而分爲二種者出臆説不可從今毋千左藏晷云
漢木二防已即是根苗爲名蓋根爲漢防已苗爲木防已也本草蒙
筌本草滙龍襲之以木防已爲下品也夫按漢地名豈根之謂哉且以木
爲苗名不知苗以木名何故也不可解矣本草原始云惟漢者勝故古
方于防已之上多書漢字此説雖可從焉夫唯以產漢中者勝他產故
称之猶川芎蘄川黄連之川而已木者如龍胆称草龍胆哉可想龍
胆之外無別草龍胆則防已之外無木防已也或人云木者木強之木而下
品之謂此因弘景説言之乎粗哉夫草木根苗雖一種之中不能無柔剛
佳悪豈唯防已且陶以木強爲下品藥虛軟爲下品不知所迪從也若夫
就一種之中分別上下之品何強漢木之議又木防已不任用此妄言耳古

方以木防已標湯名者不少豈以不堪用之下品者自命方名乎可謂不解事哉而本草彙言弁之云思此難不及漢中然隨病宜制又非可棄也嗚呼甚哉不知医薬夫隨病宜制何某病宜上品某病宜下品之有果其説之是乎若有各々隨病所宜初不以上下而品之可耳何則百薬以有効病為上品以無効為下也又同書所圖瓜防已者可疑而近日舶来皆此物也我邦俗呼荷葉加津羅者即是乎疑千金藤之一種也乎薬用决不可用

牡丹

春初旧莖生苗葉三月開花有数色五月結実根黄白色採根陰乾其形状世人皆識不待言也我邦東西諸々多種植者為良按鼠姑

即牡丹之一名耳　牡丹培之無勝花亂者故以名乎

欵冬花　フキノトウ

形狀世人普識不待言也冬春土上出花而未開者如樝实即花房也仲夏房中抽花莖高三五寸分枝細小開數花淡黄白色也藥用採未開如樝实者暴乾收貯密器藥肆欵冬花無寸効不可用焉其類不一有山生者苦呆厚為上野生者苦呆薄為次又称八頭者又次之其他紫不幾紅不幾青不幾白不幾等有之青白二種亦可使用紫花紅莖二種不可為藥用又称蝦夷產者甚大折一葉可為雨傘莖大十圍許土人塩藏動不可食其花房大於拳此奇品耳藥用所不取

石葦　ヒトツバ

生古木及石旁陰処或叢生或特生無茎如植柳葉唯一葉耳葉厚四時常青着石木而下垂如皮葦葉背有细黄毛是真也生尾屋上者非別種也一種有其根連綴而如蔓状者非真又小者即杏葉石葦又似慈姑葉者俗呼三葉石葦者先輩以為草性要略所載金雞脚是也其他大小二三種有焉又葉背有金星両〻相對其葉長大者即金星草此亦種不一又七星草者別一種也時珍混説誤矣

馬先蒿　ヨコムラサキ

邦俗呼横紫其葉似荏茎赤色秋開紫花似胡广花結子如鳳仙花一種葉圓花黄者称鶉草或云称塩竈菊者即是也二種

共不决

積雪草ツボクサ　カキドウシ

葉圓大如錢方莖帶紅色蔓延地節〻出二莖二莖各生一葉生肥地者二莖間又生出小葉莖作枝蔓相對揉葉其香如薄荷氣者生陰地者冬不凋一種一莖生數葉秋葉紫色冬不凋葉無香氣者有焉先輩分為二種一莖數葉者為積雪草二葉各生者為連錢草此説確然不可均唯無香氣者不可用也

女菀

原野在処有之春生苗莖高者二尺餘其葉似蒼耳而厚帯白色莖分枝秋每枝梢開白花如紫菀花俗称野紫菀與人呼久和邊良草又一

種莖高二三尺許葉似旋葍花葉梢分小枝開白花似紫菀之態稱姫紫菀又小紫菀又有開黄花者按二種形狀稍不同今試其効野紫菀為良

王孫

先輩以延齡草又名三葉葵者二名共邦俗名充之恭時珍輩所説近似焉然未決而珍以王孫旱藕為一物者妄也

三葉葵春宿根生苗其莖一幹直上圓高一尺許三葉簇生顛頂似及己之態其中心生花白色三弁作四五朶亦紫色者有之根塊色白味苦或云治飲食傷

旱藕和名坚子又名坚栗其葉似車前葉而一根二葉面有紫斑点亦

有無班点者季春二葉中抽莖開淡紫色如山丹六弁其根如野韭水飛以寄遠

蜀羊泉

或人云蜀羊泉者蔓草也和名皂比與鳥上戶者是也而時珍以收湿草以為特生者非矣以予觀之綱目如斯說不出雖難信用然唐本草及故荒本草亦不言為蔓草則何強非珍耶而一種稱狗枸杞者一類而似可充蜀羊泉者其能如龍葵葉亦似而間作叉岐其花如羊泉而結實一花實色同羊泉先輩以充白英未知然否也又花鏡所載雪下紅似比與鳥上戶者唯古葉似山茶特不類暫闕疑矣

比與鳥上戶者藤本緣竹木甚蔓延葉似菊有五岐有毛茸花如枸杞淡

紫色白色亦有之茎一数花結子圓似枸杞而秋後熟色紅至冬数顆
纍々下垂有致

爵牀

冬春生苗葉似野蘇而更狹長其茎方對節分枝高二三尺與大葉香薷
一樣但無香氣秋每枝梢開穗花淡紫色如紫蘇花而小異於香薷花
連邊者而種類不一宜詳擇焉大平御覧牀作床可從

梔子

木高七八尺灌木也葉如木犀而對生四季常青夏生白花三六出白弁黄蕋
甚芬香隨即結実如使君子及訶子狀有稜生青熟黄中仁深紅色熟後
採之連皮細剖即使用一種矮生者不過尺許形狀花実皆同唯小耳又有

蔓生者其他類種不一共葉用所不取也或云非山生者不可又曰九稜者良
悉此欺罔之妄言不可從焉黄山谷詩話曰染梔子六出雖香不濃郁山梔子八出一株可一圍 石湖鑑 按妄言可憎

竹葉

邦俗称皮竹者即隹也其他數十百品不易弁唯淡竹葉可使用焉又
世人甚貴竹瀝若痰在胷膈用之間有効然不甚功

蘗木 作檗為上

中世以来称黄柏非也檗音柏也耳其葉似呉茱萸閑細白花結子如五
味子而小色黒俗間以治小兒瘡出云樹皮外白裏深黄色用茶乃以皮緊
厚色鮮黄者為良

呉茱萸

木高丈餘皮青緑有褐色班点葉似胡桃葉而皺亦緑色對生有臭気三四月開細花白色頗帯紅色其実皆於稍頭累々成簇如椒而成五弁以粒大者称唐種小者称和種試之無優劣可通用採熟者日乾可備用

桒根白皮

形状世人普識焉白桒和名眞桒其葉大而圓厚無岐葺毛間有小岐者亦飼蚕者貴之一種葉有花文有毛即雞桒和称雌桒二種共可入薬也春生新葉裴開細碎花生実如莓子而長生青熟紫赤味甘可食桒根白皮外黄色裏白采無時掘采指大者洗浄去其中心日乾即使用其他女桒棟桒子桒檿桒等有之薬用不取今日市貨多偽雜混楮根皮殆難弁宜自採焉

見鄙事臆斷中

厚朴

和名保々乃加波其木高大春生葉似木蘭大尺許攢附枝梢春夏交枝梢開花如白木蓮而弁厚勁有香皓作房有疵皮長五六寸甑房折而内裏生赤色圓実如千年藍也実名逐折夕壯仲冥同名雖大小不同為逐折者即一也可想焉按厚朴諸説不歸一以説形状者各異之故也時珍所説者邦俗称恵乃木者乎三才圖會所圖似保々其他河間府志物理小識直為加條樹即邦俗称女牟久者而珍之説似相同乎船来厚朴不知的何人之説何樹之皮也貝原先生以為即保々木皮也卓言哉然以少異和産諸家疑不状且曰厚朴船来有効功和産無効不如用

舶物也蓋為此説者不堪其紛説而漫證功之有無以鉗論者之口而已
非有所試言之也請試論之乎今舶來厚朴者不知何等之樹而擬何人之説
齎來焉何則亞諸家之説各々甚異也若擬某之説則其余數人所説何
以非即某之説何故是耶意不可有正擬然醫家徇之不致考察徒貴舶來
不知何謂也再按古以朴稱者種不一焉其樹朴直有皮上駁點者總稱
也撰其數種中而樹皮尤厚色赤色者唯保々木為然且朴音傍故我
邦古以其音為稱呼也古時我々彼相通使節乃所其目擊因彼土之音而直
命之耳識者以為如何又按女年久患乃木二木無効不可用矣舶來無氣
某和產為上

秦皮

枳実　即臭橘実和名加羅多智是也

樹高丈許枝條青色多岐刺其葉小而一枝三葉異於橘柚之屬其花五弁似桃花而白色丹有紫條放花芬香時珍以爲不秀者粗謬也其実圓丸生青熟黄不光沢而毛澁小者如金橘大者如包橘近黄小者按函史韓氏医通本草原始等載鵝眼枳実蓋因之耳非也諸家不知枳即臭橘而費弁愚考録于左

按綱目枳條別標臭橘甚爲無謂也以予觀之則枳者臭橘之古名斷然無疑矣臭橘宋時俗名耳事林廣記曰枳即臭橘也是以臭橘注枳爲其俗名可証　按周礼及列子晏子淮南子等皆云橘越淮而化爲枳今試以本邦所產之橘柚移栽諸信越奥羽之地則悉化爲臭橘百移百化古人不欺人於是可知也時珍謂実乃其子故曰枳実

後人因小者性速又称老者為枳殻生則皮厚而実熟則殻薄而虚正如青橘皮陳橘皮之義云云嗚乎是何言哉実殻名豈分別生熟之謂乎素問五藏生成篇云黄如枳実者名黄之義非唯言枳実之成熟也謂其乾黄無潤異乎橘柚類亦枳之為臭橘也是可考若夫以生熟別殻実則何弗直称枳殻耶是其説之不通也夫枳殻者枳之一名而非併称子実之義也殻橈櫂字相通用故唐人詩処々春風枳殻花又采尽商山枳殻花又蘿依枳殻籬又草花之書皆直称枳殻花則其為全名何俟弁焉蓋以枳実直称枳殻実亦可也然彼以殻為皮殻之義而費分疏張李寇諸家大吠相追以殻与実強分主治牽合附會無所不至矣惟時珍云枳実枳殻気味功用倶同上世亦無分別其言頗雖矛楯而化之諸説則似少有所見然論未至産難言用枳実之是非則非真識之者也生産治療予有私説

其樹直上高者一二丈葉似胡桃及楠樹葉大小不一採其木皮及葉而浸水作碧色用以療目疾也三月開四出白花簇生枝梢又花色淡黄者有之蘓頌謂無花実大誤按秦山野多産唯越後刈春山産最為上品矣療目疾可用新者陳旧無効

秦椒

先輩為秩父山椒江戸俗称松岡先生竟竹葉椒蓋先輩擬恭之説松子擬頌之説乎竹葉椒比常椒葉正長大如竹葉茎共有刺其実也色同常椒惟経冬不落葉亦不凋邦俗称冬山椒者是也実呆不佳按秦椒諸家之説不明唯蘓頌説似竹葉椒然未易従焉何則経中不載椒而説秦蜀二椒不知何故也以之察之秦椒此即尋常

之椒也耳以何言之蓋秦泰字誤泰大通用則大椒而作秦者必傳写之訛矣尔雅曰櫢大椒郭注云今椒樹叢生実大者名為櫢此言椒中上品乎椒之実細小者皆不佳也蜀椒係可併按

山茱萸

春間每枝節攢簇細黄花満節深黄可愛花謝出葉似杏葉攸採不系其実如酸棗仁及胡頽子而二三顆下垂葉間熟紅色中有核亦似胡頽子核肉果酸甘也山茱萸往年和産甚稀今時人家園圃植之称漢種者称韓種者有之和産信之笛子嶺方固産焉

紫葳

蔓依木木久延至山巔也春初生枝一枝數葉似苦楝及紫藤葉有鋸

歯夏秋交開花一枝十餘朶大如牽牛花而頭開五弁赭黄色内有細点八月結小莢其子軽扁如榆仁矣花露入眼目有毒云

猪苓

和産奥羽二州形如姜而多節角外皮黒内白色大者如斗小者如指頭無莖葉間生花不出地上五弁紫黒色似龍胆花半開者細也舶物亦佳可用肉黄褐色者不佳

白棘　或曰酸棗刺也姑従

龍眼

未知有和産也市中舶来多有之肉果甘如蜜唯可為果入藥甚不効而近世人家園圃称龍眼樹而植之者悉非真不可信也或云龍眼者別録之

品非本經之品可從焉

木蘭

時珍所說我邦稱紫木蘭者也其樹叢生春開花似蓮而大弁長五六寸許七八弁内白色外紫中心紫有黄蕊如辛夷也花態生葉長大亦似厚朴葉又有白花者俗呼白木蓮其木直上有高大者花落又從蒂中抽葉是可使用開紫花者不可用一種有稱大山蓮花者或以爲玉蘭非也花鏡曰玉蘭古名木蘭此說佳按木蘭即辛夷之屬而大者也且辛夷亦有紫白二種本草彙言稱紫蘭玉蘭可考

五加皮

春旧枝上抽條葉土人采爲蔬茹其樹類薔薇高者三五尺有刺葉生五

牧作簇三四月細花小白花結子如小豆粒熟黑色今人多為藩籬根若莿根皮黃黑肉白一種邦俗稱鬼五加木者有鳥形狀頗大耳彼所謂先此地類秦皮者是乎

衛矛

山野處處有之樹高者六七尺枝葉皆對生葉似茶而小有細鋸齒三四月開碎花青白色結小圓實熟紫色內有核紅色有白仁花實共下垂秋葉深紅色可愛邦俗呼錦木其幹有二羽如箭翎羽入藥削取如箭羽者即使用此種類有二三種無羽者所不取焉或云有三羽四羽者未知然否

合歡

樹葉似皂莢极細而繁密五月花発彼所謂如醺暈線上半白下半肉紅色散垂如絲為花之異其緑葉至暮則合也真甚秋実作莢子架尔豆極為細按主治後人之所增入宜削去又大平御覧得所欲三字無　試功　折傷　撲損　煎枝葉數洗之又煎服神効

彼子

蘇恭曰彼子当従木作披即以為榧実時珍亦従穎之說以彼子為粗榧若夫所說之形狀我邦称大榧者是乎大榧又名邉々榧形狀同榧而葉先尖為異其実不可食土人取搾油矣然菴先之以三氏彙苑所載阿勃参充之按尔雅曰彼粘郭注粘似松生江南可以為船及棺材作柱埋之不腐彼音彼粘音杉蓋彼当従木作柀為穏而為榧者未知何拠也柀即杉別名直

為杉実可定矣柀音彼是傳写誤以音彼字写之而已通雅亦似為杉可從杉
形状世人普識不俟言唯有赤白二種加其子実則亦可使用其他類種有
絲杉温杉等不可用焉

梅実

品類極多至百余種可考梅譜梅品等出頗詳之也薬用以鶴頂梅為良和
名豊後梅是亦花不一以実圓大皮上光浄多酸呆者為佳半熟時可制造
焉或人曰經文直言烏梅耳時珍以千金方所載生実之気呆附之妄之甚
按綱目梅條有粗暴修可審焉烏梅市貨者不可也宜自制焉

桃核仁

桃品甚多為薬用者唯原野多所有淡紅花而実呆可食者之仁為良時珍

云惟山中毛桃即爾雅所謂褫桃山桃而非桃類別一種也珍襲郭注爾雅之誤且以臆度斷之可憎莫甚焉不可從予有别説又桃仁杏仁形狀采相似矣形圓長扁而尖者桃仁也○桃花採半開者陰乾藏密器使用之下湿毒瘀血有効○桃梟桃実已乾著木上經冬不落者俗称木守○桃蠹食桃実蠹也○桃毛右三種者不知何効不可為薬用矣

杏核人

單葉千葉共先花後葉其花紅色形狀似称豊後梅者葉亦如梅而大先尖有細鋸齒千葉杏結実少其他洲杏金杏等種不一

莧參實

莧參類人家所種食青莧參紫莧參二種為最又有馬莧參俗呼大莧參大小不一葉

上有黒汜果苦澁不可食唯茎根間入薬也有赤莢参称黒莢参以紫黒色故名之又香莢参経冬不凋葉有香気称寒莢参也而馬莢参中亦一種有香氣者有馬葉色帯白如毛莢参形状与香莢参不相似也香莢参者可食而馬莢参中有香者不可食矣水莢参生溝水中在水下而不出水上冬表常青色繁茂其葉圓大葉先尖偶生水邊陸地者冬即枯也果苦辛不堪食相別野州有之其他呼莢参川村又有莶草和名大毛莢参葉大如掌色帯白有毛茸茎如竹有節紫色似牛膝又葉長大而有毛茸者呼波武天古武羅也二種共採茎根煎服治疝氣腰痛矣莢参花数種皆一様紅白色作穗下垂可愛子実共似胡麻而也

葱實

葱類不一唯冬葱漢葱二種専称菜用也而彼謂冬葱無子実可怪哉

葱類皆有花実冬葱子色黒似胡广人间多栽蒔而所普識不待言唯按葱無花実茎上生根移下種之耳按経文明称葱実則有子実可知而彼草失粗謬乎冬葱漢葱胡葱苓葱絲葱之屬皆有花実可自試焉入菜以冬葱実可使用或曰謂無花実者即木葱我邦称分葱者無子可種故以根而分因植名之也是妄言不可信焉凡葱類以子蒔植冬葱產上州高崎地方者大一握餘而白尺許味尤甘可為名品

薤

今日多種植一根数葉葉似韭中空似細葱葉而有稜気亦如葱八月抽茎開花如野蒜紫白色数十攅簇根如小蒜一本数顆相依而生有大小二種

假蘇

即荊芥二月布子栽蒔之易生方莖葉相對微似敗醬葉帶黄色秋作穗開花淡紫色如紫蘇穗房内有細子採葉及花用之生肥地者其莖至二尺許彼云作生菜今試之辛薰殆不堪食也

水蘇

宿根生苗高三尺方莖其葉似薺苨而圓面皺對節生有香氣六七月開花淡紫色成穗似紫蘇猫好食之彼云水蘇薺薴一類二種而実然唯水蘇葉面皺有香無毛薺薴無香有毛也按救荒本草曰薄荷一名鷄蘇又云龍腦薄荷者尤佳則是以水蘇為薄荷　産龍腦薄荷者即其上品也耳非別以一種分稱龍腦薄荷也明矣且古云薄荷猫之酒也猫

食薄荷則醉者即今之水蘋而非今之薄荷也以之考之常用之爲
荷非真可以今之水蘋爲真矣以自試可解了焉

水蘄

有水陸二種陸名旱芹亦芹共冬生苗其葉對節而生似芎藭其莖中
空其氣芬芳五月開細白花如蛇床子花其實似茴香按近日水芹爲蔬菜
清品之賞之故培以糞汁初冬出苗其根色白柔脆長及尺許市中多貨焉
然氣味不及野生者葉用採田野自生者陰乾可使用水陸二種共爲可其

園圃栽種者劝力之劣

髮髲

字書謂編他髮以被髻也和名加顯羅

白馬莖鹿茸牛角䚡説文云角中骨也羖羊角牡羊曰羖牡狗陰莖豚卵

麋脂　雁脂一鶩肪和名阿比西而別一種呉氏本草為別條　石龍子和名青登加計　露蜂房蚱

蟬白殭蠶　数種皆不可用蓋後人所増入也而已唯鹿角夏至則解和名

落角為末療陰痿○蚱蟬種類甚多蟬母蟪蛄茅蜩寒螿馬蜩蛁

蟧啞蟬等有焉蚱蟬者總稱也今以秋鳴而形大黒色背有白粉羽

黄色者充蚱蟬也又淮南子云蟬無口而鳴此説妄也只有胷腹之間

白殭蠶即蠶自死者是偶有之不可多得也市中貨者偽也○石龍

子形似蛇有四足頭扁尾長大者二三尺許小者五六寸雌者茶褐色

雄者金碧色有光其腹淡紅色也按蠑螈蜥蜴蝘蜓守宮等混

合難弁別焉有愚考